ARTISANAT

Les bracelets
de l'amitié

Camilla Gryski

Kids Can Press Ltd.
Toronto

POUR IRENE
qui crée des bracelets

Cette édition des BRACELETS DE L'AMITIÉ de Camilla Gryski a été réalisée exclusivement pour Irwin Toy Limitée, 43 Hanna Avenue, Toronto, ON, Canada, M6K 1X6.

Kids Can Press Ltd.   Publié par Laurie Wark
29 Birch Avenue   Conçu par Nancy Ruth Jackson
Toronto, Ontario   Assemblage électronique par Pixel Graphics Inc.
Canada M4V 1E2   Photographie couleur par See Spot Run
                             Traduction française et mise en page
                                  par Xpress Communications
                             Imprimé et relié à Hong-Kong

IR95098

TABLE DES MATIÈRES

INTRODUCTION

Les gens portent des bracelets depuis des milliers d'années, pour montrer leur richesse ou leur pouvoir, pour la chance ou simplement comme ornement. Les bracelets de ce livre sont tous réalisés par le nouage de fils entre eux. Vous pouvez créer de nombreux motifs en utilisant un noeud élémentaire et des dispositions différentes de fils colorés. Le fil à broder est disponible dans un arc-en-ciel de couleurs. La réalisation d'un bracelet nécessite peu de fil, de sorte que les bracelets torsadés sont à la fois peu coûteux et beaux.

Beaucoup de bracelets noués colorés, présentement en vente, sont faits au Guatemala. Ils doivent leur nom de «bracelets de l'amitié» au fait qu'ils sont souvent faits et offerts entre amis. Certaines personnes disent que ce sont des bracelets de souhait. Si vous les portez jusqu'à ce que les fils se rompent et qu'ils tombent, votre souhait se réalisera.

Il est préférable de commencer par le bracelet à rayures diagonales et de suivre l'ordre du livre. Au fur et à mesure que vous assimilerez de nouvelles techniques, vous serez en mesure d'utiliser plus de fils et d'essayer des motifs différents. Vous pouvez combiner et assortir les bracelets, ajouter des perles et, peut-être même, inventer quelques styles personnels.

Vous et vos amis pouvez créer un véritable bracelet de l'amitié. Chaque personne choisit une couleur, puis le bracelet est transmis à un ami pour qu'il noue le rang de la couleur choisie.

Ne vous inquiétez pas si vous êtes gaucher : c'est aussi mon cas. Il faut utiliser autant la main droite que la main gauche pour créer les bracelets. Votre main droite tient le fil à nouer lorsque vous nouez de gauche à droite et votre main gauche effectue le travail lorsque vous nouez de droite à gauche.

Ainsi, réalisez vos bracelets à des fins d'amitié ou de souhaits. Faites-les pour vos poignets ou pour ceux d'une autre personne. Divertissez-vous!

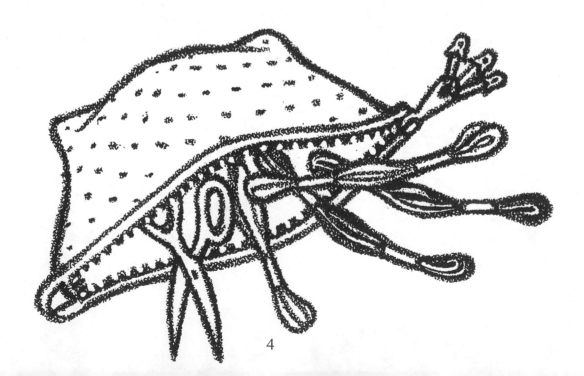

4

PRÉPARATIFS

Vous avez besoin d'au moins quatre couleurs différentes de fil à broder pour réaliser ces bracelets. Vous pouvez essayer d'autres types de matériaux; la laine fait merveille si elle n'est pas trop épaisse. Vous avez aussi besoin de ciseaux et d'une épingle de sûreté pour épingler votre bracelet à la hauteur du genou de votre jean, à votre oreiller ou à un coussin.

Vous pouvez transformer un petit sac à glissière en trousse à bracelets portative. Utilisez le sac pour ranger vos écheveaux de fils, le bracelet en cours et une petite paire de ciseaux. Conservez vos épingles de sûreté sur le ruban de la fermeture à glissière pour pouvoir les retrouver facilement.

CHOIX DES COULEURS

Dans ce livre, tous les bracelets sont faits de quatre couleurs de fil différentes, à l'exception de celui ayant les rayures diagonales qui comporte seulement trois couleurs en vue de simplifier le travail d'apprentissage du noeud et du point élémentaires. Une fois l'organisation des fils maîtrisée, vous pouvez utiliser plus de couleurs et faire des bracelets plus larges.

Le choix des couleurs est amusant. Réalisez un bracelet assorti à votre tenue favorite. Utilisez les couleurs de votre école ou vos couleurs préférées. Un bracelet présentant le bleu du ciel, l'orange d'une fleur indienne peinte et le vert du pin peut vous rappeler la campagne. Regardez quelles couleurs se coordonnent bien. Il est d'abord préférable de choisir des couleurs qui sont très différentes. Vous pourriez confondre l'ordre des fils si deux couleurs étaient presque identiques. Les écheveaux dont la couleur s'éclaircit peuvent aussi vous tromper pendant votre travail avec des paires de fils. Au fur et à mesure que vous vous habituez à travailler avec les fils, vous pouvez créer des motifs intéressants en sélectionnant seulement deux couleurs au lieu de quatre. Vous devrez vous concentrer davantage sur ce que vous faites, car deux paires de fils seront de la même couleur.

ENTRETIEN DES FILS

Les écheveaux de fil à broder ont toujours un fil flottant. Ce fil représente l'une des extrémités et si vous le tirez délicatement, il se déroulera sans s'enchevêtrer. Vous n'avez même pas besoin de retirer les bandes en papier, donc vos écheveaux de fil resteront ordonnés. Lorsque les écheveaux de fil s'épuiseront, les bandes de papier se dégageront. Il est alors recommandé de «faire un papillon» avec le fil restant.

FAIRE UN PAPILLON

1. Posez un bout du fil sur la paume de votre main. Suspendez l'extrémité entre le pouce et l'index.

2. Glissez le fil entre l'annulaire et l'auriculaire, puis enroulez-le autour de l'auriculaire.

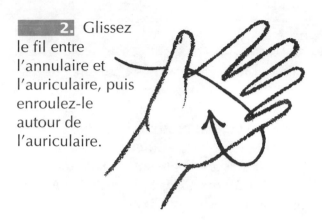

3. Le fil court ensuite sur la paume entre le pouce et l'index, puis autour du pouce.

4. Voici le chemin du fil : sur la paume, entre l'annulaire et l'auriculaire, autour de l'auriculaire, à nouveau sur la paume, entre le pouce et l'index, puis autour du pouce. Les fils s'entrecroisent au centre de la paume. Vous réalisez deux ensembles de boucles ressemblant aux ailes du papillon, soit un autour de l'auriculaire et un autour du pouce.

5. Une fois que vous avez presque épuisé tout le fil, pincez le papillon à l'endroit où les fils se croisent et dégagez-le des doigts. Enroulez le restant du fil autour du centre du papillon pour le maintenir.

MESURER LES FILS

Sélectionnez trois couleurs de fil. Jouez avec les écheveaux pour voir quelles couleurs se coordonnent bien.

Vos fils d'ouvrage devraient avoir une longueur quatre fois plus importante que celle du bracelet fini, avec un peu plus de fil pour les extrémités torsadées. Voici un moyen facile de mesurer : pour chaque fil, mesurez une longueur de fil allant du bout du doigt à l'épaule. Puisque vous avez deux fils d'ouvrage de chaque couleur, vous mesurez une longueur de fil du bout du doigt à l'épaule et de retour vers le bout du doigt. Pour ce faire, tenez le bout du fil entre le pouce et l'index et évaluez la première longueur jusqu'à l'épaule. Maintenez le fil à l'emplacement où la longueur du bras a été prise, puis desserrez le pouce et l'index. Mesurez ensuite la deuxième longueur en lissant le fil jusqu'à l'extrémité libre. Coupez le fil. Vous avez un bout de fil ayant une double longueur jusqu'à l'épaule. Utilisez ce premier bout de fil pour mesurer les deux autres couleurs. Vous possédez maintenant trois longs fils de longueur identique. Si vous faites un bracelet pour une personne qui est plus grande que vous, comme votre père, mesurez son bras du bout du doigt à l'épaule, puis de nouveau au bout du doigt. Le bracelet (et les fils d'ouvrage) devront être plus longs.

NOEUD DE SURJET

1. Assemblez une extrémité de chaque couleur et lissez les fils. Courbez les fils en deux pour qu'une boucle se forme au centre.

2. Tenez les fils dans une main et la boucle dans l'autre.

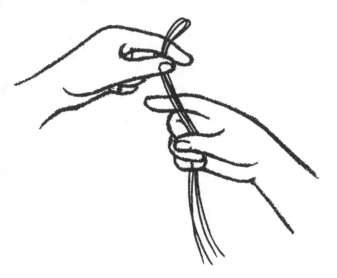

3. Enroulez la boucle autour de l'index de la main tenant les fils. Pincez les fils ensemble à l'endroit où ils se croisent pour faire un cercle.

4. Dégagez l'index tout en maintenant le cercle de fils à l'endroit où ils se croisent. Insérez le bout de fil libre formant la boucle dans le cercle et tirez sur le bout pour serrer. Vous pouvez déplacer le noeud libre au centre du fil pour obtenir une boucle plus petite au haut. La boucle fait partie de l'attache du bracelet; par conséquent, vous devez être capable d'y glisser facilement une extrémité torsadée en son centre.

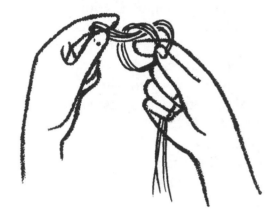

ÉPINGLER LE BRACELET

La boucle aide à garder votre bracelet tendu pendant son élaboration, épinglez-la à un coussin ou à un jean. Une épingle s'avère plus adéquate que du papier-cache adhésif. Ce dernier peut se détacher lorsque vous essayez de faire et de serrer les noeuds.

Épinglez la boucle des deux côtés. Si vous glissez simplement l'épingle dans la boucle pour la fixer, votre bracelet ne cessera de se retourner et vous confondrez l'endroit et l'envers.

BRACELETS À RAYURES DIAGONALES

Vous avez choisi et mesuré les fils de trois couleurs. Réfléchissez maintenant à l'ordre des rayures colorées. Si vous avez choisi rouge, jaune et bleu, voulez-vous les rayures du bracelet dans cet ordre-là, ou souhaitez-vous avoir les couleurs jaune, bleu, puis rouge?

Le bracelet à rayures diagonales présente un arrangement de couleurs qui alternent. Vous disposez les fils dans l'ordre des rayures colorées. En raison des deux fils de chaque couleur, le motif se répète. En partant de la gauche, vos fils seront bleu, jaune, rouge, bleu, jaune, rouge. Esquissez un schéma illustrant l'ordre des couleurs. Lorsque vous nouez les fils pour faire une rayure colorée, ils changent de place, mais le jaune suit toujours le rouge et le bleu suit toujours le jaune.

Débrouillez les fils jusqu'à leur extrémité et étalez-les en éventail. Vous pouvez désormais commencer à nouer.

NOTE : Rappelez-vous que les fils sont numérotés suivant leur nouvelle position, de sorte que les numéros des fils changent toujours.

NOEUD ÉLÉMENTAIRE

Attribuez mentalement un chiffre aux fils de gauche à droite, soit 1, 2, 3, 4, 5 et 6. Les fils 1 et 4 sont de la même couleur; 2 et 5 sont de la même couleur, tout comme les fils 3 et 6.

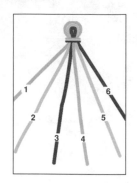

Le chiffre 1 désigne le fil à nouer en premier. Vous effectuerez deux noeuds sur chaque fil jusqu'au numéro 6 à droite en utilisant le numéro 1.

1. Tenez le fil à nouer, fil 1, dans la main droite.

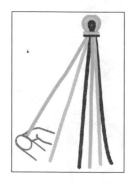

2. Saisissez le fil numéro 2, le premier fil de base, à l'aide du majeur, de l'annulaire et de l'auriculaire de la main gauche.

N'utilisez pas le pouce et l'index gauches.

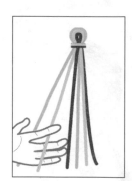

3. Formez une voile avec le fil à nouer. La pointe de la voile est orientée vers la gauche. Le fil de la voile passe au-dessus du fil de base. Utilisez l'index et le pouce gauches pour maintenir les fils ensemble à l'endroit où ils se croisent.

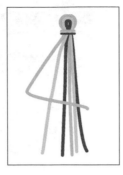

4. Glissez l'extrémité du fil à nouer dans la voile. Tenez le fil de base tendu et droit, puis tirez le noeud vers le haut du fil de base.

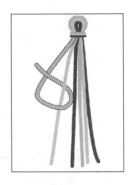

NOTE : Le noeud devrait toujours être de la couleur du fil à nouer. Si le fil de base est trop lâche et si vous serrez le noeud en tirant sur les deux fils, votre noeud risque d'être de couleur identique à celle du fil de base.

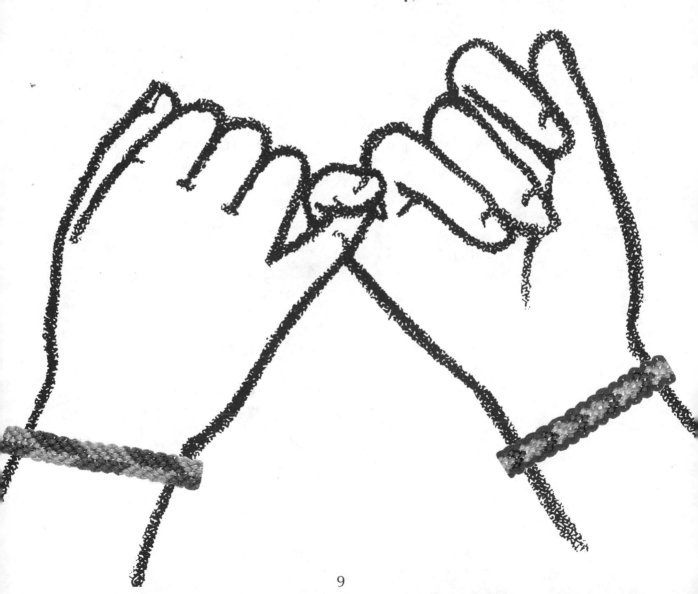

5. Faites un autre noeud en passant le fil 1 autour du fil 2. Faites une voile, passez l'extrémité du fil en son centre, tenez le fil de base tendu et tirez le noeud vers le haut. Gardez le fil à nouer dans la main droite. Ne le relâchez pas tant que vous n'aurez pas entièrement noué jusqu'au côté droit. Mettez de côté le fil 2.

NOTE : Deux noeuds sur un même fil créent une maille.

6. Au moyen du fil à nouer, effectuez deux noeuds autour du fil 3, du fil 4, du fil 5 et du fil 6. Rappelez-vous l'ordre des couleurs et ne retournez pas l'ouvrage.

Vous avez réalisé une rayure diagonale. Le fil 1 est maintenant le fil 6: il est du côté droit. Il existe un nouveau fil à nouer du côté gauche, lequel devient le fil 1.

7. Prenez le nouveau fil à nouer, soit le fil 1, dans la main droite. Rappelez-vous de le tenir jusqu'à ce que vous ayez fini de le nouer à droite. Commencez la prochaine rayure en

créant deux noeuds à l'aide du fil à nouer sur chaque fil, de gauche à droite, soit les fils 2, 3, 4, 5 et 6. Le fil à gauche est toujours le fil 1. Le fil à droite est toujours le fil 6.

Tirez bien chaque noeud dans ce deuxième rang. Chaque noeud doit être relevé contre les points du premier rang. Une fois quelques rangs achevés, les noeuds maintiendront les fils éloignés et l'ordre des prochains fils à nouer sera visible.

Le quatrième rang commencera à répéter l'ordre des couleurs. Si le premier rang était rouge et si vous aviez trois couleurs, le quatrième rang sera rouge également.

8. Lors de l'élaboration du bracelet, rappelez-vous de toujours commencer par le fil situé à gauche et d'effectuer deux noeuds sur chaque fil jusqu'à la droite.

TRESSER LES EXTRÉMITÉS

Votre bracelet est assez long lorsqu'il atteint les deux tiers du tour de votre poignet. Puisque ce bracelet comporte six fils, vous pouvez faire deux tresses de trois fils chacune.

Étalez vos trois fils : à gauche (G), au centre (C), et à droite (D).

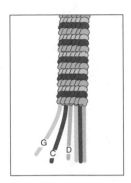

1. G passe au-dessus de C et devient le nouveau C.

2. D enjambe C et devient le nouveau C. Serrez les fils.

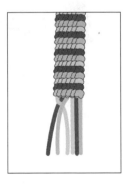

3. Poursuivez avec G sur C, puis D sur C, en serrant les fils de temps en temps pour obtenir une tresse uniforme.

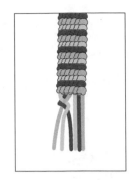

4. Les tresses doivent être assez longues pour qu'on puisse les glisser dans la boucle et en faire un noeud. Une longueur de 7,5 cm (3 pouces) environ est satisfaisante. Faites un

noeud de surjet à l'extrémité de chaque tresse pour la finir. Coupez les bouts, puis glissez une tresse dans la boucle du bracelet et nouez les tresses. Vous pouvez défaire cette attache relativement facilement.

Si vous avez l'intention de porter votre bracelet jusqu'à ce qu'il se détache — sous la douche, à la piscine et lors du lavage de la vaisselle — vous pouvez nouer ensemble les extrémités non tressées. La même longueur de 7,5 cm (3 pouces) taillée à la fin est nécessaire. Glissez trois extrémités lâches à travers la boucle et nouez-les autour des trois autres extrémités.

CHANGEMENT DE RAYURES DIAGONALES : BRACELETS À ZIGZAGS

Retournez le bracelet afin d'obtenir un effet de zigzag.

1. Nouez trois rangs, soit un motif de couleurs complet, puis enlevez les épingles du bracelet. Retournez-le, puis épinglez-le sur votre genou. L'envers du bracelet se trouve maintenant sur le dessus. Il semble différent de l'endroit qui comporte des rangs de points simples. À l'endos, les deux noeuds constituant chaque point sont visibles.

2. Une fois le bracelet retourné, commencez à nouer normalement à partir de la gauche. Vous répéterez la couleur du rang que vous venez juste de finir. Le fil 6 devient le fil 1 lorsque vous retournez le bracelet. Nouez trois rangs, un de chaque couleur, puis retournez à nouveau le bracelet.

3. Continuez à nouer et à retourner le bracelet à tous les trois rangs jusqu'à ce qu'il soit assez long. Puis achevez-le comme d'habitude en tressant les extrémités.

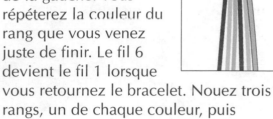

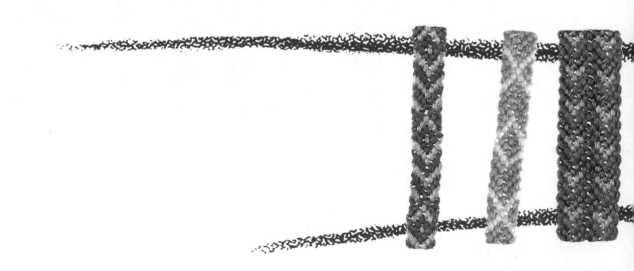

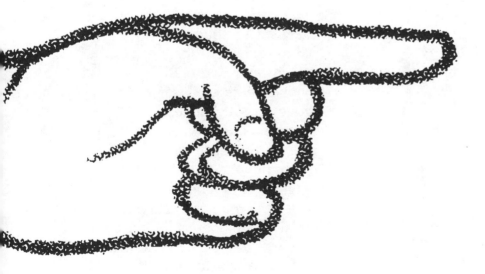

BRACELETS FLÉCHÉS

Choisissez quatre couleurs différentes pour ce bracelet. Mesurez la longueur du fil de manière similaire au bracelet à rayures diagonales (page 6). Faites le nœud de surjet pour créer la boucle et épingler le bracelet.

Ce bracelet possède une ligne médiane imaginaire. Disposez la moitié des fils d'un côté de la ligne et l'autre moitié des fils de l'autre côté en respectant un motif d'image inversée.

1. Écartez quatre fils, un de chaque couleur. Décidez de l'ordre des couleurs pour le nouage et arrangez les quatre fils en forme d'éventail en les débrouillant aux extrémités.

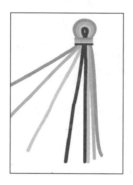

2. Étendez les quatre fils restants selon une image inversée. Procédez de l'extérieur en vous assurant que les paires de fils correspondent. Les fils 1 et 8 sont de couleur identique, de même que les fils 2 et 7, les fils 3 et 6, et les fils 4 et 5. Les fils 4 et 5 sont côte à côte, chacun d'un côté de la ligne médiane imaginaire.

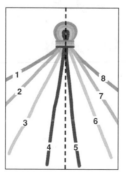

3. Séparez les fils 1 à 4, soit les fils de travail. Ce sont les fils situés à gauche de la ligne médiane. Éloignez les autres fils. Effectuez deux noeuds à l'aide du fil 1 en passant autour des fils 2, 3 et 4, puis arrêtez. Le fil à nouer a atteint le centre du bracelet. Mettez de côté ces fils de travail et étalez les fils à la droite de la ligne médiane.

4. Lorsque vous nouez du côté droit vers le centre, votre fil à nouer se dirige de la droite vers la gauche. Pour nouer de droite à gauche, prenez le fil à nouer, numéro 8, de la main gauche. Tenez le fil de base, numéro 7, de la main droite, en laissant l'index et le pouce droits libres de faire passer la voile au-dessus du fil de base. La pointe de la voile est orientée vers la droite et ressemble à ceci.

5. Glissez l'extrémité du fil à nouer dans la voile et serrez le noeud. Créez un autre noeud en passant le fil 8 autour du fil 7 pour compléter un point.

6. Nouez le fil 8 deux fois autour des fils 6 et 5.

NOTE : Les deux fils à nouer, l'un provenant de la gauche et l'autre provenant de la droite, se joignent au centre. Ils sont de couleur identique et, puisqu'ils sont au centre du bracelet, ils deviennent les fils 4 et 5.

7. Puisque vous travaillez de droite à gauche, faites des noeuds qui atteignent les côtés du motif, des noeuds orientés vers la gauche. Donc, nouez le fil 5 deux fois autour du fil 4. Serrez

davantage ces noeuds adjacents tout en réunissant les deux moitiés du motif fléché.

8. Pour continuer, nouez le nouveau fil numéro 1 deux fois autour des fils 2, 3 et 4 en allant vers la droite.

9. Nouez le nouveau fil numéro 8 deux fois autour des fils 7, 6 et 5 en allant vers la gauche.

10. Nouez les nouveaux fils médians, soit les fils 5 et 4, ensemble en effectuant deux noeuds orientés vers la gauche. Serrez bien pour réunir les deux côtés du motif.

11. Lorsque le bracelet est assez long, vous pouvez tresser ou nouer les extrémités comme d'habitude. Créez, à partir des quatre bouts, trois groupes à tresser en donnant deux bouts à un groupe. Le centre peut avoir deux fils, soit un fil de chaque côté. Tressez (page 11) et nouez les extrémités.

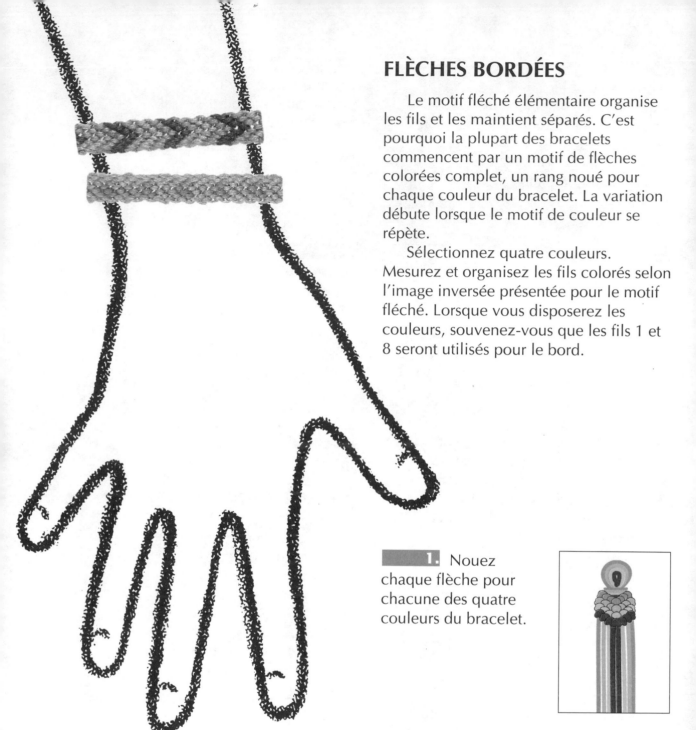

FLÈCHES BORDÉES

Le motif fléché élémentaire organise les fils et les maintient séparés. C'est pourquoi la plupart des bracelets commencent par un motif de flèches colorées complet, un rang noué pour chaque couleur du bracelet. La variation débute lorsque le motif de couleur se répète.

Sélectionnez quatre couleurs. Mesurez et organisez les fils colorés selon l'image inversée présentée pour le motif fléché. Lorsque vous disposerez les couleurs, souvenez-vous que les fils 1 et 8 seront utilisés pour le bord.

1. Nouez chaque flèche pour chacune des quatre couleurs du bracelet.

Pour commencer la variation, vous devez apprendre un point de rotation qui remet le fil à nouer à sa position initiale. Un point de rotation avec le fil numéro 1 est effectué à l'aide d'un noeud orienté vers la droite et d'un noeud orienté vers la gauche. Le fil à nouer se déplace en direction de la droite lorsqu'il effectue son premier noeud autour du fil 2, puis s'éloigne du bord, car le deuxième noeud se dirige vers la gauche.

Un point de rotation effectué avec le fil 8 autour du fil 7 est réalisé par un noeud orienté vers la gauche qui prend le fil en une étape et un noeud orienté vers la droite qui éloigne le fil à nouer vers le bord.

Au début, ces points sont difficiles à apprendre, car le fil à nouer change de main au milieu du point.

2. Le point fléché bordé. À l'aide du fil 1, nouez un point de rotation (orienté vers la droite, orienté vers la gauche) autour du fil 2.

3. Au moyen du fil 8, nouez un point de rotation (orienté vers la gauche, orienté vers la droite) autour du fil 7. Vous avez noué les bords pour ce rang. Mettez de côté les fils du bord (1 et 8). Vous nouerez une flèche ordinaire à l'aide des fils 2, 3, 4, 5, 6 et 7.

4. Séparez les fils d'ouvrage 2, 3 et 4. Nouez le fil 2 deux fois autour des fils 3 et 4.

5. Dégagez les fils d'ouvrage 7, 6 et 5. Nouez le fil 7 deux fois autour des fils 6 et 5.

6. Nouez les fils à nouer, présentement les fils 5 et 4, ensemble au centre. Nouez le fil 5 deux fois autour du fil 4.

Chaque rang débute par deux points de rotation, un sur le côté gauche et un sur le côté droit, en utilisant les fils 1 et 8 comme fils à nouer. Les fils 2 et 7 restent toujours les fils à nouer pour les côtés du motif fléché. Réunissez les côtés du motif en nouant le fil 5 deux fois autour du fil 4 comme d'habitude.

7. Vous pouvez finir votre bracelet par quatre rangs — un motif coloré complet — constitués de flèches ordinaires pour assortir les extrémités du bracelet.

FLÈCHES BORDÉES : VARIATIONS DE COULEURS

Si vous mesurez deux longueurs de fil pour chacune des deux couleurs, vous avez ainsi quatre fils d'ouvrage de chaque couleur au lieu de deux, et votre motif de flèches bordées variera. Une flèche de couleur identique à celle du bord apparaîtra à tous les trois rangs.

Disposez les couleurs selon une image inversée. Les fils 1, 2, 7 et 8 seront de couleur similaire. Les fils 3, 4, 5 et 6 seront aussi de couleur identique.

1. Commencez normalement par un motif de couleur complet (quatre rangs) de flèches ordinaires.

2. Nouez les bords comme d'habitude : le fil 1 noue un point de rotation orienté vers la droite/orienté vers la gauche autour du fil 2. Le fil 8 noue un point de rotation orienté vers la gauche/orienté vers la droite autour du fil 7.

3. Complétez la flèche en utilisant les fils 2 et 7 comme fils à nouer. Les couleurs, et non pas les noeuds, rendent le bracelet différent.

Il est toujours plus difficile de travailler avec plusieurs fils de couleur identique. Séparez toujours les fils d'ouvrage et mettez de côté ceux dont vous n'avez plus besoin. Les fils du bord demeurent toujours sur les rebords du bracelet. Les flèches sont toujours nouées à partir des fils 2 et 7, même lorsqu'elles sont de couleur identique à celle des rebords.

JEU DE COULEURS

Dans un motif, chaque flèche est généralement nouée au moyen de deux fils de couleur identique : ils partent des rebords extérieurs du bracelet dans la direction opposée, puis ils sont noués ensemble lorsqu'ils se réunissent au centre.

Pour réaliser un bracelet à flèches rayées, vous nouez les flèches bicolores en utilisant un point de rotation au point de rencontre des fils pour conserver chaque couleur de son côté. Vous pouvez faire un bracelet à flèches alternantes si vous réunissez les flèches de manière habituelle, avec un point se dirigeant vers la gauche. Les couleurs des flèches changeront de côté à tous les quatre rangs, après chaque motif coloré complet. La disposition des couleurs fait toute la différence.

FLÈCHES RAYÉES

Choisissez deux couleurs et mesurez deux longueurs de fil pour chacune, de façon à obtenir quatre fils d'ouvrage pour les deux couleurs. Procédez avec la boucle, le noeud et l'épingle.

1. Étendez les quatre fils d'une couleur sur le côté gauche et les quatre fils de l'autre couleur sur le côté droit.

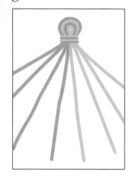

2. Nouer la première flèche. Nouez le fil 1 deux fois autour des fils 2, 3 et 4. Tous ces fils sont de couleur identique, par conséquent, gardez votre fil à nouer dans la main droite.

Ne l'échappez pas tant que vous n'aurez pas fini de nouer la moitié de la flèche.

3. Commencez du côté droit et nouez le fil 8 deux fois autour des fils 7, 6 et 5. Tous ces fils sont aussi de couleur similaire, donc gardez toujours le fil à nouer dans la main gauche.

4. Les deux fils à nouer de couleur différente se réunissent au centre. Faites un point de rotation orienté vers la gauche/ orienté vers la droite en faisant passer le fil 5 autour du fil 4, de sorte que chaque couleur reste de son côté de la ligne médiane imaginaire.

5. Continuez de nouer chaque rang en suivant les étapes 2, 3 et 4.

ALTERNER LES FLÈCHES

Mesurez, placez et disposez les fils colorés de la même manière que pour le bracelet à flèches rayées. Nouez les flèches de manière usuelle en les réunissant par deux noeuds orientés vers la gauche. Les deux couleurs de flèches changeront de côté à chaque motif de couleur complet (à tous les quatre rangs). Rappelez-vous que la couleur du fil à nouer est la couleur du point, par conséquent nouez votre point de rencontre central toujours de la même manière, orienté vers la gauche ou vers la droite, pour conserver un motif de couleur uniforme.

BRACELETS DOUBLEMENT FLÉCHÉS

Commencez deux bracelets fléchés, puis réunissez-les après avoir noué un motif coloré complet pour chacun d'eux.

Il existe de nombreux motifs de couleur possibles. Si vous débutez par deux bracelets identiques, le même motif de couleur zigzaguera sur le bracelet d'un côté à l'autre. Essayez avec différentes couleurs.

Installez deux bracelets fléchés identiques, puis épinglez-les côte à côte sur votre surface de travail. Assurez-vous que les boucles sont de taille identique. Décidez de la disposition des couleurs et arrangez les fils du bracelet à gauche. Ceci est le bracelet numéro 1.

1. Réalisez un motif complet de flèches colorées sur le bracelet numéro 1. Si vous travaillez avec quatre couleurs, un motif de couleur comportera quatre rangs.

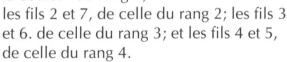

2. Disposez les couleurs du bracelet numéro 2 situé à droite. Si vous n'avez pas inscrit l'ordre des couleurs, observez les rayures du bracelet 1. Les fils 1 et 8 sont de la couleur du rang 1; les fils 2 et 7, de celle du rang 2; les fils 3 et 6. de celle du rang 3; et les fils 4 et 5, de celle du rang 4.

3. Effectuez un motif complet de flèches colorées sur le bracelet numéro 2. Les bracelets devraient être identiques.

4. Pour joindre les deux bracelets, nouez le fil 8 du bracelet 1 deux fois autour du fil 1 du bracelet 2. Le point de rencontre réunit fermement les deux bracelets. Les fils du point de rencontre sont de couleur identique.

Les fils du point de rencontre sont souvent difficiles à repérer, car ils se trouvent au centre du bracelet. Regardez la couleur du rang que vous venez d'achever, puis repérez au centre les deux fils de la prochaine couleur pour le motif. Il est utile d'éloigner tous les autres fils lorsque vous nouez étroitement ces deux fils ensemble.

NOTE : Si les bracelets sont de couleurs différentes, le point réunissant les bracelets doit être un point de rotation identique, soit orienté vers la gauche/ vers la droite, soit orienté vers la droite/ vers la gauche, de sorte que les couleurs de chaque bracelet restent de leur côté.

Vous continuerez la réalisation des bracelets séparément, puis vous les joindrez par un point au début de chaque rang. Puisque vous travaillez avec 16 fils, prenez soin de séparer les quatre fils nécessaires pour chaque partie du motif. Écartez toujours les autres fils.

5. Éloignez tous les fils du bracelet 2 pour qu'ils ne gênent pas l'ouvrage.

6. Commencez le motif fléché en utilisant les fils 1 à 4 du bracelet 1. Mettez de côté les fils 5 à 8.

7. Éloignez ensuite les fils 1 à 4. Finissez le motif fléché à l'aide des fils 8 à 5. Réunissez les deux côtés de la flèche en nouant le fil 5 deux fois autour du fil 4. Souvenez-vous de nouer fermement les noeuds constituant le point de rencontre.

8. Mettez de côté tous les fils du bracelet 1.

9. Commencez le motif fléché sur le bracelet 2, comme pour le bracelet 1, à l'aide des fils 1 à 4.

10. Achevez la flèche au moyen des fils 8 à 5, puis réunissez les côtés de la flèche en nouant le fil 5 deux fois autour du fil 4. La flèche zigzague maintenant en formant un "W" sur toute la largeur du bracelet.

11. Commencez le prochain rang par un point de rencontre orienté vers la droite. Nouez le fil 8 du bracelet 1 deux fois autour du fil 1 du bracelet 2.

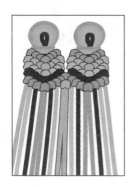

FLÈCHES BORDÉES DOUBLES

Disposez les couleurs comme pour le motif fléché double, soit deux arrangements de couleurs assorties, en respectant l'image inversée.

Commencez par réaliser un motif complet de flèches colorées sur chaque ensemble de fils.

Souvenez-vous de toujours séparer le petit groupe de fils avec lequel vous travaillez et de mettre de côté les autres fils.

Comme les motifs se compliquent, le fait d'éloigner les fils d'ouvrage vous évitera de vous méprendre.

1. Commencez par faire un point de rencontre. Nouez le fil 8 du bracelet 1 deux fois autour du fil 1 du bracelet 2. Si les deux bracelets sont identiques, ce point constitue un point ordinaire. Si les bracelets sont différents, ce point constitue un point de rotation.

2. Poursuivez le travail du bracelet 1. Mettez de côté les fils du bracelet 2.

3. Faites un point de rotation sur le bord orienté vers la droite/vers la gauche en nouant le fil 1 autour du fil 2. Puis, faites un point de rotation sur le bord orienté vers la gauche/vers la droite en nouant le fil 8 autour du fil 7. Éloignez les fils 1 et 8.

4. Créez une flèche en nouant le fil 2 deux fois autour des fils 3 et 4 et en nouant le fil 7 deux fois autour des fils 6 et 5. Réunissez les côtés du motif fléché en nouant le fil 5 deux fois autour du fil 4.

5. Mettez de côté les fils du bracelet 1. Répétez les étapes 3 et 4 avec les fils du bracelet 2.

6. Commencez le prochain rang complet par un point de rencontre qui réunira les deux bracelets. Nouez le fil 8 du bracelet 1 deux fois autour du fil 1 du bracelet 2.

BRACELETS DOUBLES AVEC FLÈCHES BICOLORES

Lorsque votre disposition de couleur n'est pas une image inversée, mais une couleur divisée, soit R/R/R/R/B/B/B/B/R/R/R/R/B/B/B/B, réalisez un motif pour chaque bracelet jusqu'à ce que tous les fils de chaque couleur aient changé de côté.

Lorsque vous assemblez le bracelet 1 au bracelet 2 au début de chaque rang, faites un point de rencontre de rotation. Assurez-vous que celui-ci est toujours orienté de manière identique, soit orienté vers la gauche/vers la droite, soit orienté vers la droite/vers la gauche, car le point est toujours de la même couleur que celle du fil à nouer.

BRACELETS À ZIGZAGS EN "Y"

Choisissez quatre couleurs. Mesurez les fils, faites une boucle et épinglez comme d'habitude. Disposez les couleurs selon une image inversée. La couleur au centre, soit celle des fils 4 et 5, sera celle du motif à zigzags en "Y".

1. Réalisez un motif complet de flèches colorées (4 rangs).

2. Créez une moitié de flèche, de sorte qu'une diagonale puisse traverser le bracelet de droite à gauche. En premier, séparez les fils 1 à 3. Puis, nouez le fil 1 deux fois autour des fils 2 et 3. Nouez le nouveau fil 1 deux fois autour du fil 2. Nouez le fil 4 deux fois autour des fils 3, 2 et 1 pour réaliser le premier "Y".

3. Travaillez de droite à gauche. Nouez le fil 8 deux fois autour des fils 7, 6, 5, 4, 3 et 2. Ne le nouez pas autour du fil à nouer du dernier rang, soit le fil 1.

Un rang entier de diagonale comporte sept points. Ce rang comprend six points et chaque rang en perdra dorénavant un.

Ne nouez jamais autour du fil à nouer du dernier rang.

Après chaque rang fini, mettez de côté le fil à nouer.

4. Travaillez de droite à gauche. Nouez le fil 8 deux fois autour des fils 7, 6, 5, 4, 3 et 2. Ne le nouez pas autour du fil à nouer du dernier rang, soit le fil 1.

5. Travaillez de droite à gauche, nouez le fil 8 deux fois autour des fils 7, 6, 5 et 4. Les fils 3, 2 et 1 représentent les fils à nouer des rangs précédents. Ne nouez aucun fil autour d'eux.

6. Travaillez de droite à gauche. Nouez le fil 8 deux fois autour des fils 7, 6 et 5. Les fils 4, 3, 2 et 1 constituent les fils à nouer des rangs précédents. Ne nouez aucun fil autour d'eux.

7. Travaillez de droite à gauche. Nouez le fil 8 deux fois autour des fils 7 et 6.

8. Travaillez de droite à gauche. Nouez le fil 8 deux fois autour du fil 7.

9. Pour nouer une diagonale entière de gauche à droite, nouez le fil 1 deux fois autour des fils 2, 3, 4, 5, 6, 7 et 8. Vous avez achevé votre deuxième "Y". Mettez de côté le fil à nouer.

NOTE : Surveillez la longueur du fil pour le zigzag en "Y". Puisque vous l'utilisez comme fil à nouer, il deviendra plus court plus rapidement que les autres fils.

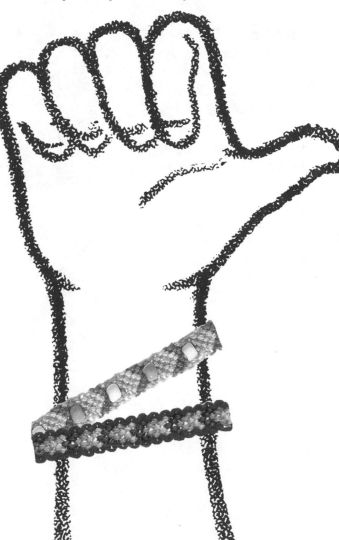

Vous avez réalisé la première section de vos diagonales de droite à gauche. Cet ensemble se dirige maintenant dans le sens opposé : vous travaillez de gauche à droite.

1. Nouez le fil 1 deux fois autour des fils 2, 3, 4, 5, 6 et 7. Ne le nouez pas autour du fil 8, soit le fil à nouer du dernier rang. Mettez de côté le fil à nouer.

2. Nouez le fil 1 deux fois autour des fils 2, 3, 4, 5 et 6. Ne le nouez pas autour des fils 7 et 8, soit les fils à nouer des deux derniers rangs. Mettez de côté le fil à nouer.

3. Nouez le fil 1 deux fois autour des fils 2, 3, 4 et 5. Ne le nouez pas autour des fils 6, 7 et 8. Mettez de côté le fil à nouer.

4. Nouez le fil 1 deux fois autour des fils 2, 3 et 4. Ne le nouez pas autour des fils 5, 6, 7 et 8. Mettez de côté le fil à nouer.

5. Nouez le fil 1 deux fois autour des fils 2 et 3. Ne le nouez pas autour des fils 4, 5, 6, 7 et 8. Mettez de côté le fil à nouer.

6. Nouez le fil 1 deux fois autour du fil 2. Ne le nouez pas autour des fils 3, 4, 5, 6, 7 et 8.

7. Vous avez fini le remplissage. Nouez maintenant une diagonale entière de droite à gauche. Nouez le fil 8 deux fois autour des fils 7, 6, 5, 4, 3, 2 et 1.

8. Continuez le remplissage. Les diagonales alterneront lorsque vous travaillerez de droite à gauche, puis de gauche à droite. Six ou sept zigzags en "Y" représentent un beau bracelet.

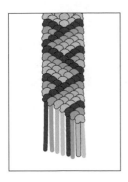

9. Lorsque vous souhaitez arrêter, créez un motif en "X" de sorte que vous aurez deux groupes de fils à tresser pour finir le bracelet.

Débutez par un rang de diagonales complet. Si la diagonale court de droite à gauche, remplissez-la ainsi pour faire un "X" :

a) Nouez le fil 8 deux fois autour des fils 7 et 6.

b) Nouez le fil 8 deux fois autour du fil 7.

c) Nouez le fil 5 deux fois autour des fils 6, 7 et 8.

Si la diagonale court de gauche à droite :

a) Nouez le fil 1 deux fois autour des fils 2 et 3.

b) Nouez le fil 1 deux fois autour du fil 2.

c) Nouez le fil 4 deux fois autour des fils 3, 2 et 1.

10. Achevez le bracelet en tressant les extrémités de manière habituelle.

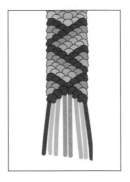

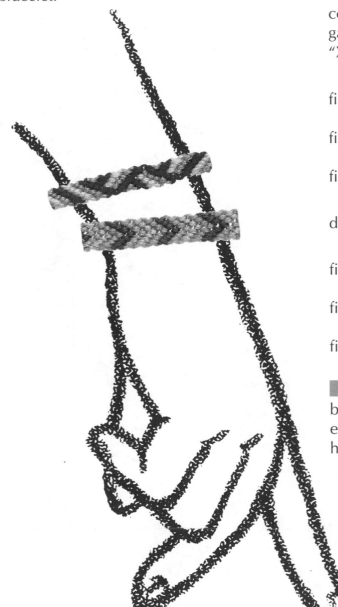

LOSANGES ET "X"

Choisissez quatre couleurs de fil. Mesurez les fils, faites une boucle et épinglez le bracelet comme d'habitude. Disposez les couleurs selon une image inversée.

1. Réalisez un motif complet de flèches colorées (4 rangs). La dernière flèche du motif de couleur constitue la moitié supérieure du "X". Lorsque vous commencez à nouer le X et le losange, souvenez-vous de tirer fermement tous les noeuds afin de resserrer le motif.

Pour remplir le côté gauche du "X" :

2. Nouez le fil 1 deux fois autour des fils 2 et 3.

3. Nouez le fil 1 deux fois autour du fil 2.

4. Nouez le fil 4 deux fois autour des fils 3, 2 et 1 pour achever un côté du "X".

Pour remplir le côté droit du "X" :

5. Nouez le fil 8 deux fois autour 7 et 6.

6. Nouez le fil 8 deux fois autour du fil 7.

7. Pour achever le "X", nouez le fil 5 deux fois autour des fils 6, 7 et 8.

Pour créer le premier losange :

8. Mettez de côté les fils 1 et 8. Vous ne les nouerez pas encore. Lorsque vous faites le losange, vous travaillez chaque couleur du centre vers les rebords. Ne nouez pas le fil à nouer du rang précédent.

9. Nouez le fil 4 deux fois autour du fil 5.

10. Nouez le fil 4 deux fois autour des fils 3 et 2.

11. Nouez le fil 5 deux fois autour des fils 6 et 7. Mettez de côté les fils à nouer.

Pour commencer un nouveau rang :
12. Nouez le fil 4 deux fois autour du fil 5.

13. Nouez le fil 4 deux fois autour du fil 3.

14. Nouez le fil 5 deux fois autour du fil 6. Mettez de côté les fils à nouer.

15. Nouez le fil 4 deux fois autour du fil 5.

16. Pour achever le côté gauche du losange, nouez le fil 1 deux fois autour des fils 2, 3 et 4.

17. Pour achever le côté droit du losange, nouez le fil 8 deux fois autour des fils 7, 6 et 5.

18. Achevez le losange en nouant le fil 5 deux fois autour du fil 4.

Vous avez réalisé un ensemble losange et "X". Vous pouvez maintenant répéter le motif de flèches simple, suivi de l'ensemble losange et "X", ou commencer une autre combinaison "X" et losange en remplissant le côté gauche du "X" (étape 2).

19. À votre gré, vous pouvez finir ce bracelet par un ensemble de flèches avant de tresser les extrémités comme d'habitude.

"X" ET "O" : VARIATION DE COULEURS DU MOTIF DE LOSANGES

Les "X" dans ce motif sont de véritables "X", mais les "O" représentent des losanges.

Choisissez deux couleurs de fil et mesurez une seule longueur pour une couleur et trois longueurs pour l'autre couleur. Vous aurez huit bouts à nouer, deux d'une couleur et six de l'autre couleur. Faites une boucle et épinglez le bracelet sur votre surface de travail.

Disposez les fils selon une image inversée. Les fils 4 et 5 seront d'une couleur. Les fils 1, 2, 3, 6, 7 et 8 seront de l'autre couleur.

1. Réalisez un motif complet de flèches colorées (4 rangs). Le dernier rang de flèches représente la moitié supérieure du premier "X".

Pour remplir le côté gauche du "X" :

2. Nouez le fil 1 deux fois autour des fils 2 et 3.
3. Nouez le fil 1 deux fois autour du fil 2.
4. Nouez le fil 4 deux fois autour des fils 3, 2 et 1 pour achever cette partie du "X".

Pour remplir le côté droit du "X" :

5. Nouez le fil 8 deux fois autour des fils 7 et 6.

6. Nouez le fil 8 deux fois autour du fil 7.

7. Nouez le fil 5 deux fois autour des fils 6, 7 et 8 pour achever la partie droite du "X".

Ensuite, remplissez le "X" de flèches inversées. Pour ce faire, vous nouez comme pour le losange, mais chaque rang se termine au bord.

8. Nouez le fil 4 deux fois autour du fil 5.

9. Nouez le fil 4 deux fois autour des fils 3, 2 et 1.

10. Nouez le fil 5 deux fois autour des fils 6, 7 et 8.

11. Vous avez réalisé un rang complet de flèches inversées. Nouez trois rangs supplémentaires de la même manière. Le dernier rang est de la couleur du "X". C'est le premier rang du losange.

Pour nouer le losange :

12. Nouez le fil 4 deux fois autour du fil 5.

13. Nouez le fil 4 deux fois autour des fils 3 et 2.

14. Nouez le fil 5 deux fois autour des fils 6 et 7.

15. Nouez le fil 5 deux fois autour des fils 6 et 7.

16. Nouez le fil 4 deux fois autour du fil 3, et le fil 5, deux fois autour du fil 6.

17. Nouez le fil 4 deux fois autour du fil 5.

18. Pour achever le losange, nouez le fil 1 deux fois autour des fils 2, 3 et 4, puis nouez le fil 8 deux fois autour des fils 7, 6 et 5. Nouez ensuite le fil 5 deux fois autour du fil 4.

19. Réalisez un motif complet de flèches colorées. La dernière flèche représente la moitié supérieure du prochain "X".

BRACELETS À DOUBLE LOSANGE

Un bracelet de ce motif nécessitera plus d'une séance pour le compléter, mais votre effort sera récompensé.

Choisissez quatre couleurs et mesurez assez de fil pour réaliser deux bracelets identiques. Une couleur dessinera les losanges et, ainsi, s'achèvera plus vite que les autres. Décidez de la couleur du contour et accordez à ces longueurs de fil une longueur (allant du bout du doigt jusqu'au coude) de plus que les autres. Bouclez et épinglez les bracelets côte à côte.

Commencez le bracelet 1. Disposez les couleurs selon une image inversée. La couleur placée sur les rebords de l'image inversée (soit la couleur de la première flèche à nouer) sera la couleur qui soulignera les losanges du motif.

1. Réalisez un motif complet de flèches colorées au moyen des fils du bracelet 1.

2. Disposez les fils du bracelet 2, puis réalisez un motif complet de flèches colorées avec les fils du bracelet 2. Les bracelets 1 et 2 devraient être identiques.

3. Débutez le prochain rang en réunissant les deux bracelets. Nouez le fil 8 du bracelet 1 deux fois autour du fil 1 du bracelet 2.

4. Une fois les bracelets réunis, numérotez vos fils de 1 à 16. Nouez un autre rang complet de flèches qui zigzaguent sur la largueur du bracelet de gauche à droite. Cette couleur soulignera le motif de losange.

5. Mettez de côté les fils 1 à 4 et les fils 13 à 16.

Pour nouer un losange central avec les fils 5 à 12 :

Souvenez-vous de ne nouer aucun fil autour des fils à nouer du rang précédent.

6. Nouez le fil 8 deux fois autour du fil 9.

7. Nouez le fil 8 deux fois autour des fils 7 et 6.

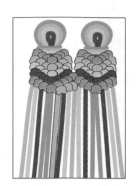

8. Nouez le fil 9 deux fois autour des fils 10 et 11.

9. Nouez le fil 8 deux fois autour du fil 9.

10. Nouez le fil 8 deux fois autour du fil 7.

11. Nouez le fil 9 deux fois autour du fil 10.

12. Nouez le fil 8 deux fois autour du fil 9.

13. Achevez le losange en nouant le fil 5 deux fois autour des fils 6, 7 et 8, puis le fil 12 deux fois autour des fils 11, 10 et 9.

14. Nouez le fil 9 deux fois autour du fil 8.

Observez vos fils. Il existe trois fils, puis un fil de la couleur soulignant le motif du losange, trois fils supplémentaires, puis deux fils qui sont de la couleur du contour, trois fils supplémentaires, puis un fil de contour et trois fils supplémentaires. Les fils de contour divisent les autres fils en groupes. Pendant votre ouvrage, souvenez-vous de toujours séparer vos groupes de fils d'ouvrage. Mettez tous les autres fils de côté. De même, nouez fermement les fils pour regrouper toutes les parties du motif.

La prochaine section du motif comporte deux losanges.

Pour remplir les rebords extérieurs et compléter deux "X" :

15. Nouez le fil 1 deux fois autour des fils 2 et 3.

16. Nouez le fil 1 deux fois autour du fil 2.

17. Nouez le fil 4 deux fois autour des fils 3, 2 et 1. Vous avez fini le "X" du côté gauche du bracelet.

18. Nouez le fil 16 deux fois autour des fils 15 et 14.

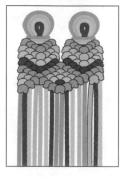

19. Nouez le fil 16 deux fois autour du fil 15.

20. Nouez le fil 13 deux fois autour des fils 14, 15 et 16. Vous avez fini le "X" du côté droit du brace-let.

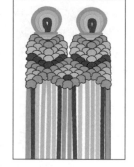

Le premier losange est noué au moyen des fils 1 à 8.

21. Nouez le fil 4 deux fois autour du fil 5.

22. Nouez le fil 4 deux fois autour des fils 3 et 2.

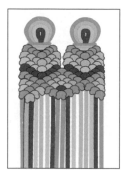

23. Nouez le fil 5 deux fois autour des fils 6 et 7.

24. Nouez le fil 4 deux fois autour du fil 5.

25. Nouez le fil 4 deux fois autour du fil 3.

26. Nouez le fil 5 deux fois autour du fil 6.

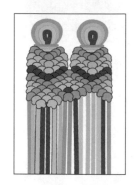

27. Nouez le fil 4 deux fois autour du fil 5.

28. Pour compléter le losange, nouez le fil 1 deux fois autour des fils 2, 3 et 4. Nouez le fil 8 deux fois autour des fils 7, 6 et 5. Nouez le fil 5 deux fois autour du fil 4.

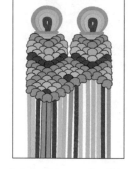

Le deuxième losange est noué au moyen des fils 9 à 16 :

29. Nouez le fil 12 deux fois autour du fil 13.

30. Nouez le fil 12 deux fois autour des fils 11 et 10.

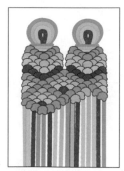

31. Nouez le fil 13 deux fois autour des fils 14 et 15.

32. Nouez le fil 12 deux fois autour du fil 13.

33. Nouez le fil 12 deux fois autour du fil 11.

34. Nouez le fil 13 deux fois autour du fil 14.

35. Nouez le fil 12 deux fois autour du fil 13.

36. Complétez le losange en nouant le fil 9 deux fois autour des fils 10, 11 et 12, puis le fil 16 deux fois autour des fils 15, 14 et 13. Nouez le fil 13 deux fois autour du fil 12.

37. Vous pouvez répéter le motif en nouant un autre losange central comme vous l'avez fait pour la première section. Voici les étapes du motif : nouez un losange central, remplissez les côtés du motif pour achever les deux "X", puis nouez deux losanges.

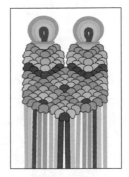

PETITS BRACELETS

Vous pouvez faire différents types de petits bracelets en utilisant de une à quatre couleurs. Si vous commencez un bracelet par une boucle, choisissez et mesurez deux fils de couleur comme d'habitude. Bouclez par un noeud et épinglez le bracelet sur votre surface de travail.

Si vous désirez épuiser des fins d'écheveaux, vous pouvez utiliser plusieurs couleurs. Votre ouvrage comporte toujours quatre fils à nouer. Il est préférable que chaque fil mesure environ une longueur de bras. Réunissez un bout de chacun des fils, puis faites un noeud de surjet. Assurez-vous de conserver de 7 à 10 cm (de 3 à 4 pouces) de fils pour pouvoir nouer le bracelet au poignet.

Vous pouvez combiner trois types de motifs pour les petits bracelets. Le premier présente une torsade de points en spirale. Le deuxième présente un rang droit de points, et le troisième, un rang de fleurs. Vous pouvez combiner et associer les sections jusqu'à ce que le bracelet soit assez long.

TORSADE EN SPIRALE

Vous disposez de quatre fils de travail. Trois représenteront le centre et le quatrième constituera le fil de travail. Une fois qu'une section de points assez longue aura été nouée, le fil à nouer reviendra vers le centre et un fil du centre deviendra le fil à nouer.

1. Choisissez le fil à nouer. La première section de points sera de cette couleur. C'est le fil 1. Les fils 2, 3 et 4 sont les fils du centre. Considérez-les comme étant un seul fil lorsque vous nouerez le fil 1 autour d'eux.

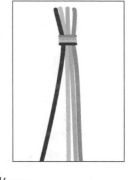

2. Nouez le fil 1 autour des fils (2, 3, 4) en faisant un noeud orienté vers la droite. Faites deux noeuds supplémentaires orientés vers la droite. Les noeuds devraient commencer à se diriger en spirale sur la droite. Faites un peu plus de noeuds orientés vers la droite. Le fil à nouer se déplace sur la droite sur toute la largeur du bracelet.

3. Passez le fil à nouer sous les fils du centre et faites-le sortir du côté gauche du bracelet. Nouez à nouveau en utilisant des noeuds orientés vers la droite.

Ce motif permet de compter plus facilement des noeuds simples que des points lors de la réalisation des sections du motif. Vingt ou vingt-cinq noeuds simples orientés vers la droite devraient créer environ trois spirales.

4. Retournez le fil à nouer vers le centre. Choisissez une couleur différente cette fois-ci. Vous devez utiliser divers fils lorsque vous nouez. Nouez davantage de spirales ou choisissez un autre motif.

POINT DROIT

Si vous faites un noeud orienté vers la droite, puis un noeud orienté vers la gauche, suivi d'un noeud orienté vers la droite et d'un autre noeud orienté vers la gauche, vous obtiendrez un rang de points droit. Vous faites véritablement un point de rotation au-dessus des autres. Dénombrez de 20 à 25 noeuds pour créer la prochaine section et replacez le fil à nouer au centre.

Choisissez le prochain fil à nouer. Si vous faites des spirales ou des rangs droits, sélectionnez un fil que vous n'avez pas déjà utilisé comme fil à nouer. Vous devez épuiser tous les fils uniformément. Vous pouvez choisir de nouer une section de fleurs.

FLEURS

Pour réaliser une fleur, étalez les fils. Ils sont numérotés de 1 à 4. Les fils 2 et 3 devraient être de couleur identique. Vous nouerez la fleur au moyen de ceux-ci. Les fils 1 et 4 sont aussi de même couleur.

1. Nouez le fil 2 deux fois autour du fil 3.

2. Nouez le fil 2 deux fois autour du fil 1.

3. Nouez le fil 3 deux fois autour du fil 4.

4. Nouez le fil 2 deux fois autour du fil 3. Ceci constitue le centre de la fleur.

5. Nouez le fil 1 deux fois autour du fil 2.

6. Nouez le fil 4 deux fois autour du fil 3.

7. Nouez le fil 3 deux fois autour du fil 2 pour finir une fleur.

**Pour réaliser
la fleur suivante :**

8. Nouez le fil 2 deux fois autour du fil 1.

9. Nouez le fil 3 deux fois autour du fil 4.

10. Nouez le fil 2 deux fois autour du fil 3.

11. Nouez le fil 1 deux fois autour du fil 2.

12. Nouez le fil 4 deux fois autour du fil 3.

13. Nouez le fil 3 deux fois autour du fil 2 pour finir la deuxième fleur.

14. Reprenez à partir de l'étape 8 pour faire plus de fleurs. Trois ou quatre fleurs constituent une section d'un joli format.

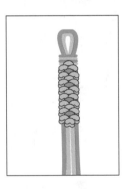

ASTUCES POUR LES FLEURS :

Puisque les petits bracelets se retournent aisément, prenez garde à ne pas confondre l'endroit et l'endos des fleurs. Vos paires de fils à nouer peuvent être de longueur inégale. Lorsque vous nouez ensemble deux fils de couleur identique, utilisez le plus long comme fil à nouer.

BRACELETS À COMBINER ET À ASSORTIR

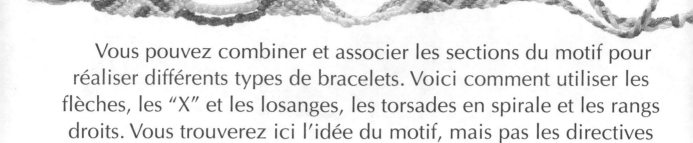

Vous pouvez combiner et associer les sections du motif pour réaliser différents types de bracelets. Voici comment utiliser les flèches, les "X" et les losanges, les torsades en spirale et les rangs droits. Vous trouverez ici l'idée du motif, mais pas les directives pour chaque section.

Choisissez quatre couleurs, puis mesurez, bouclez et arrangez les fils. Utilisez une disposition selon une image inversée.

1. Réalisez un motif complet de flèches colorées (page 14).

2. Remplissez et nouez le reste du "X" (page 28).

3. Nouez un losange (page 28).

4. À l'aide du fil 1, nouez une torsade en spirale autour du fil 2, faites environ 20 noeuds. Avec le fil 8, nouez une torsade en spirale de 20 noeuds autour du fil 7 (page 36).

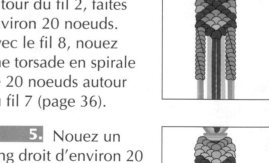

5. Nouez un rang droit d'environ 20 noeuds avec le fil 3 autour du fil 4 et avec le fil 6 autour du fil 5 (page 37). Les rangs droits et les rangs en spirale devraient être de longueur identique.

6. Joignez les sections du motif ensemble en nouant une flèche à l'aide des fils 2 et 7, soit les fils utilisés pour nouer les spirales.

7. Commencez à nouveau le motif en nouant une autre flèche cette fois-ci avec les fils 1 et 8. Cette flèche constituera la moitié supérieure du prochain "X".

Le motif du bracelet entier se compose ainsi : flèches, combinaison "X" et losange, combinaison torsade en spirale et rang droit, combinaison "X" et losange, combinaison torsade en spirale et rang droit, combinaison "X" et losange, flèches.

Voici une autre façon de relier les combinaisons de flèches et torsade en spirale, rang droit ou fleurs.

Nouez les flèches comme d'habitude .

Pour remplir le côté gauche :

1. Nouez le fil 1 deux fois autour des fils 2 et 3.
2. Nouez le fil 1 deux fois autour du fil 2.

3. Nouez le fil 3 deux fois autour des fils 2 et 1.
4. Nouez le fil 4 deux fois autour des fils 3, 2 et 1.

Pour remplir le côté droit :

5. Nouez le fil 8 deux fois autour des fils 7 et 6.
6. Nouez le fil 8 deux fois autour du fil 7.

7. Nouez le fil 6 deux fois autour des fils 7 et 8.
8. Nouez le fil 5 deux fois autour des fils 6, 7 et 8.

Vous pouvez poursuivre ce remplissage par un rang de points droits de chaque côté et un rang de fleurs au centre.

Si vous ajoutez un rang supplémentaire de flèches après avoir noué ensemble la combinaison rang droit et fleur, vous épuiserez les fils plus régulièrement et varierez les couleurs du bracelet.

Si la dernière combinaison est un "X" ou un autre remplissage, vous pouvez achever le bracelet par un ensemble de flèches inversées (page 31).

PERLES

Lorsque vous choisissez des perles, souvenez-vous
que les trous doivent être assez grands pour un ou deux fils à broder.

Si vous disposez d'un enfileur de soie dentaire en plastique, celui-ci sera parfait pour insérer les fils dans la perle. L'enfileur est un long morceau de plastique étroit qui se divise en deux pour faire une boucle courbée. Vous glissez simplement les extrémités du fil dans la boucle. Cela ressemble au filetage d'une aiguille, mais en plus simple, car la boucle est grande. Puis, vous insérez la partie «aiguille» en plastique dans le trou de la perle.

Les perles s'avèrent parfaites pour le motif fléché. Vous pouvez mettre une perle pour chaque rang noué d'une certaine couleur. Vous pouvez ajouter une perle lorsque vous faites le point réunissant les deux côtés de la flèche. Il existe deux manières de procéder. Essayez-les pour trouver celle qui vous convient le mieux.

Créez le premier des deux noeuds constituant le point de rencontre. Glissez la perle sur le fil à nouer. Puis, achevez le point en nouant à l'aide de l'autre fil. Nouez le prochain rang comme d'habitude, même si cela tend le noeud autour de la perle. Lorsque vous insérez la perle de cette façon, elle repose sur la surface nouée.

Si la perle a un trou assez gros pour deux fils, insérez ceux-ci dans la perle avant de nouer le point qui joindra les côtés du motif fléché. Insérée ainsi dans le motif, la perle repose presque au niveau de la surface nouée du bracelet.

BOUCLES D'OREILLE ET BABIOLES

Des boucles d'oreille et des porte-clefs représentent
d'excellentes manières d'épuiser les morceaux et bouts
restants, particulièrement si vous y ajoutez des perles.

Réalisez deux motifs complets de flèches colorées, soit huit rangs. Insérez une perle dans le motif après les quatre premiers rangs. Coupez les extrémités pour créer une frange ou ajoutez plus de perles. Vous pouvez faire une boucle, puis nouer quatre torsades en spirale et attacher une perle à l'extrémité de chacune d'elles.

Utilisez le motif à losange simple ou double pour faire des boucles d'oreille ou un porte-clefs. Ajoutez des perles lorsque vous nouez le rang de points simples du remplissage du losange, juste avant de finir le contour du losange.

Si vous commencez le travail par des bouts ou par un noeud de surjet au lieu d'une boucle, vous aurez des franges aux deux extrémités. Accordez une bonne longueur à votre ouvrage pour pouvoir le nouer sur une queue de cheval ou une tresse.

Une fois que vous connaissez quelques motifs et sections élémentaires, vous pouvez les combiner à votre gré. Révélez votre imagination et parez-vous de la tête aux pieds.

RÉSUMÉ PRATIQUE

NOEUD ÉLÉMENTAIRE

Le fil à nouer peut se diriger dans divers sens.

Le fil à nouer se dirige de gauche à droite.

Pour faire un noeud :

1. Tenez le fil à nouer de la main droite.

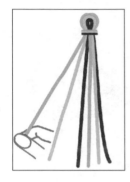

2. Saisissez le fil de base au moyen du majeur, de l'annulaire et de l'auriculaire de la main gauche. N'utilisez pas les pouce et index gauches.

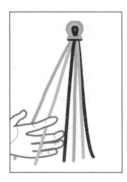

3. Faites une voile à l'aide du fil à nouer. La pointe de la voile s'oriente vers la gauche et ressemble à ceci.

Le fil de la voile passe au-dessus du fil de base. Les index et pouce gauches maintiennent les fils ensemble au point de croisement.

4. Insérez le bout du fil à nouer dans la voile. Tenez le fil de base tendu et droit, et tirez le noeud jusqu'au haut du fil de base.

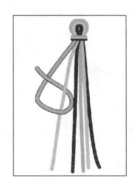

DEUX NOEUDS SUR UN FIL DE BASE CRÉENT UN POINT.

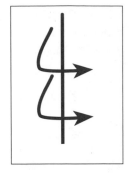

Voici comment réaliser un point ordinaire lorsque le fil à nouer se dirige vers la droite.

Le fil à nouer se dirige de droite à gauche.

Pour faire un noeud :

1. 1. Prenez le fil à nouer de la main gauche.

2. Tenez le fil de base de la main droite.

3. Faites une voile avec le fil à nouer. La pointe de la voile se dirige vers la droite et ressemble à ceci.

4. Vos index et pouce droits tiennent le fil de la voile à l'endroit où celui-ci croise le fil de base. Insérez l'extrémité du fil à nouer dans la voile. Tenez le fil de base tendu et droit, et tirez le noeud vers le haut du fil de base.

DEUX NOEUDS SUR UN FIL DE BASE CONSTITUENT UN POINT.

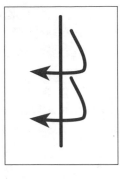

Voici comment réaliser un point ordinaire lorsque le fil à nouer se dirige vers la gauche.

Parfois, un fil se déplace d'une étape lorsqu'il se noue autour d'un fil, puis revient en place quand le point est fini sur le fil. Ces points sont appelés «point de rotation». Il en existe deux types : l'un orienté vers la droite/vers la gauche et l'autre orienté vers la gauche/vers la droite.

Les points de rotation peuvent être trompeurs au début, car le fil à nouer change de main au milieu du point.

Un point de rotation orienté vers la droite/vers la gauche a un noeud qui se dirige vers la droite, suivi d'un noeud qui se dirige vers la gauche.

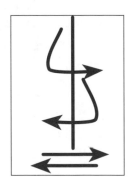

Un point de rotation orienté vers la gauche/ vers la droite a un noeud qui se dirige vers la gauche, suivi d'un noeud qui se dirige vers la droite.

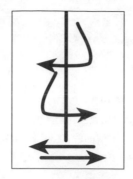

Voici une disposition bicolore comprenant des fils violets et jaunes :

Voici une disposition de couleurs alternantes comprenant des fils violets, jaunes, bleus et verts :

Vous pouvez faire un noeud en allant vers la gauche jusqu'au centre. Les points sont ainsi:

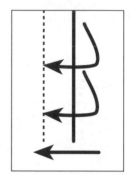

Voici une disposition de couleurs selon l'image inversée comprenant des fils violets, jaunes, bleus et verts :

Vous pouvez faire un noeud en allant vers la droite jusqu'au centre. Les points sont ainsi :

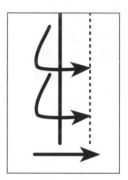

Vous pouvez faire un noeud en partant du centre vers la gauche. Les points sont ainsi :

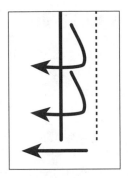

Vous pouvez faire un noeud en allant vers la gauche jusqu'au centre, puis en revenant (point de rotation orienté de gauche à droite). Les points sont ainsi :

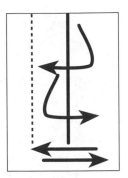

Vous pouvez faire un noeud en partant du centre vers la droite. Les points sont ainsi :

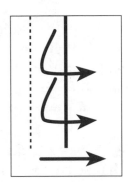

Vous pouvez faire un noeud en partant du centre vers la gauche, puis en revenant (point de rotation orienté de gauche à droite). Les points sont ainsi :

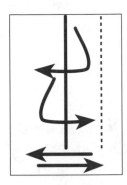

Vous pouvez faire un noeud en allant vers la droite jusqu'au centre, puis en revenant (point de rotation orienté de droite à gauche). Les points sont ainsi :

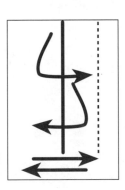

Vous pouvez faire un noeud en partant du centre vers la droite, puis en revenant (point de rotation orienté de droite à gauche). Les points sont ainsi :

QUE FAIRE EN CAS D'ERREUR?

Comment réparer une erreur?

Les points sont plus faciles à défaire à partir de l'endos de l'ouvrage, car les deux noeuds constituant chaque point y sont apparents. Utilisez une épingle de sûreté pour détendre chaque noeud, puis défaites le noeud manuellement.

À l'aide! J'ai un enchevêtrement.

Pour démêler les fils mêlés, retirez un seul fil à la fois.

Un point est de couleur incorrecte. Qu'est-il arrivé?

Chaque point devrait être de la couleur du fil à nouer. Si vous ne tenez pas le fil de base serré, votre point risque d'être de la couleur du fil de base. Parfois, vous pouvez le corriger en tirant sur le fil de base. Parfois, vous devez défaire le point, puis le renouer en gardant le fil de base tendu.

À RETENIR

• Les fils sont toujours numérotés de gauche à droite. Le fil 1 se situe toujours du côté gauche du bracelet. Le fil 8 (ou 16) est toujours à droite. Les fils obtiennent leur numéro selon leur position; par conséquent, les numéros des fils changent constamment.

• Évitez de reourner votre ouvrage accidentellement. Il existe toujours un endos et un endroit. L'endroit comprend des points simples. L'endos présente deux noeuds pour chaque point.

• Séparez toujours les fils d'ouvrage de chaque partie du motif. Mettez de côté les autres fils.

Kids Can Crafts

FRIENDSHIP
BRACELETS

Written by Camilla Gryski

Kids Can Press Ltd.

Toronto

FOR IRENE
who makes bracelets

This edition of *Friendship Bracelets,* by Camilla Gryski, has been produced exclusively for Irwin Toy Limited, 43 Hanna Avenue, Toronto, ON, Canada, M6K 1X6.

Kids Can Press Ltd.   Edited by Laurie Wark
29 Birch Avenue   Designed by Nancy Ruth Jackson
Toronto, Ontario, Canada   Electronic assembly by Pixel Graphics Inc.
M4V 1E2   Colour photography by See Spot Run
                                  Printed in Hong Kong

IR 95 0 9 8

CONTENTS

INTRODUCTION

People have worn bracelets for thousands of years — to show their wealth or power, for luck or simply to decorate their arms. The bracelets in this book are all made by knotting threads around each other. You can make lots of different patterns using a basic knot and different arrangements of coloured threads. Embroidery thread comes in a rainbow of colours. It doesn't take much thread to make a bracelet, so knotted bracelets are both inexpensive and beautiful.

Many of the colourful knotted bracelets you see for sale today are made in Guatemala. They've come to be called Friendship Bracelets because they're often made and given by friends to friends. Some people say that they are Wish Bracelets. If you wear them until the threads break and they fall off, your wish will come true.

It's best to begin with the Diagonal Stripe Bracelet and work your way through the book. As you learn new skills, you'll be able to use more threads and try different patterns. You can mix and match bracelets, add beads and maybe even invent some designs of your own.

You and some friends can make a real friendship bracelet. Each person chooses a colour, then the bracelet gets passed around as each friend knots the row of the colour she chose.

Don't worry if you're left-handed — I'm left-handed, too. You use both hands equally when you make bracelets. Your right hand holds the knotting thread when you are knotting from the left to the right, but your left hand does all the work when you are knotting from the right to the left.

So make them for friendship or for wishes. Make them for your wrists or somebody else's. And have fun!

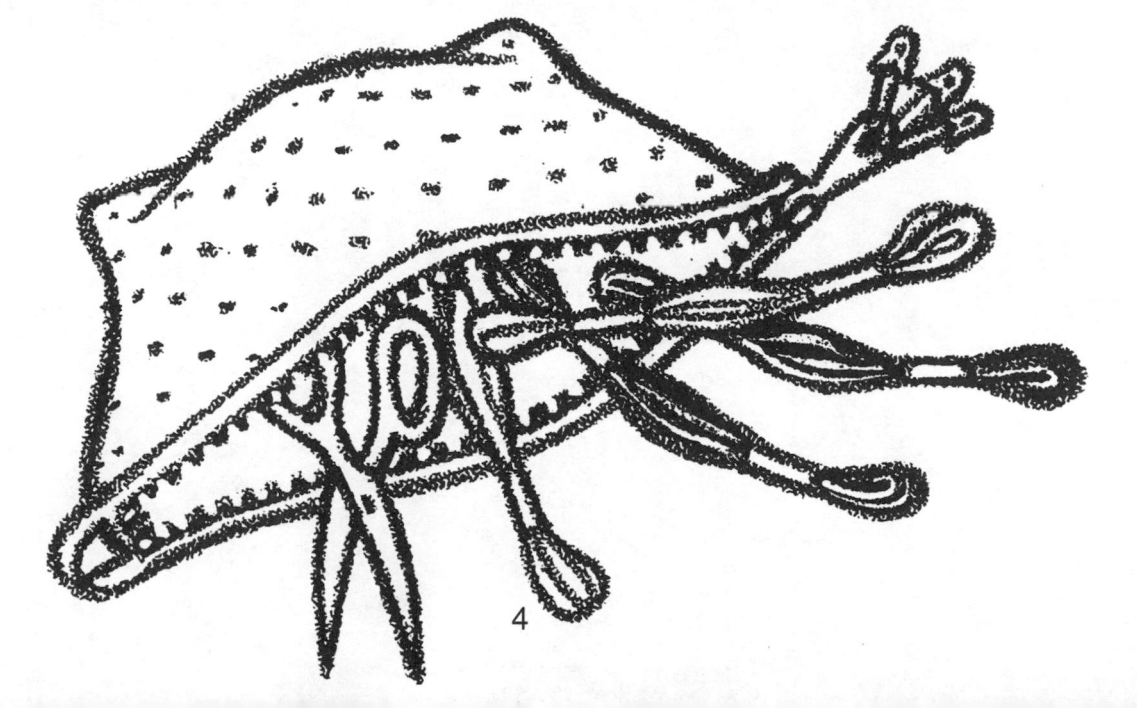

GETTING STARTED

You need at least four different colours of embroidery thread to make these bracelets. You can experiment with other kinds of materials — wool works if it's not too thick. You also need a pair of scissors and a safety pin to pin your bracelet to the knee of your jeans or to a pillow or cushion.

You can make a portable bracelet kit using a small bag with a zipper. Use the bag to hold your skeins of thread, the bracelet you're working on and a small pair of scissors. Keep your safety pins on the tag of the zipper so you always know where they are.

CHOOSING COLOURS

All of the bracelets in this book except the Diagonal Stripe use four different colours of thread. The Diagonal Stripe uses only three colours because it's easier to work with fewer threads when you're just learning how to make the basic knot and stitch. When you're good at keeping your threads organized, you can use more colours and make wider bracelets.

Choosing colours is lots of fun. Make a bracelet to match a favourite sweater or outfit. Use your school colours or the colours you like best. A bracelet with the blue of the sky, the orange of an Indian Paintbrush flower and the green of a pine tree can remind you of the country. Look around you to see which colours go well together. At first it's best to choose colours that are very different. You might get the order of the threads mixed up if two colours are nearly the same. Skeins that change colour from dark to light can also be confusing when you are working with pairs of threads. As you get used to working with the threads, you can create interesting patterns by choosing only two colours instead of four. You'll have to think a little harder about what you're doing, because two pairs of threads will be the same colour.

LOOKING AFTER YOUR THREADS

Skeins of embroidery thread always have a loose thread. This thread is one of the ends and if you pull gently, it will come out without tangling. You don't even have to take off the paper wrappers, so your skeins of thread will stay tidy. When the skeins of thread get skinny, the paper wrappers will fall off. Then the best thing to do is to "butterfly" the thread that's left.

TO BUTTERFLY YOUR THREAD

1. Lay one end of the thread across your palm. Let the very end dangle off the side of your hand between your thumb and index finger.

2. Put the thread between your ring finger and your little finger. Wrap the thread around your little finger.

3. Now the thread goes across your palm, between your thumb and your index finger and around your thumb.

4. This is the path of the thread: Across your palm, between your ring finger and your little finger, around your little finger, back across your palm, between your thumb and index finger, and around your thumb. The threads criss-cross in the centre of your palm. You're making two sets of loops like the wings of a butterfly — one set around your little finger and one set around your thumb.

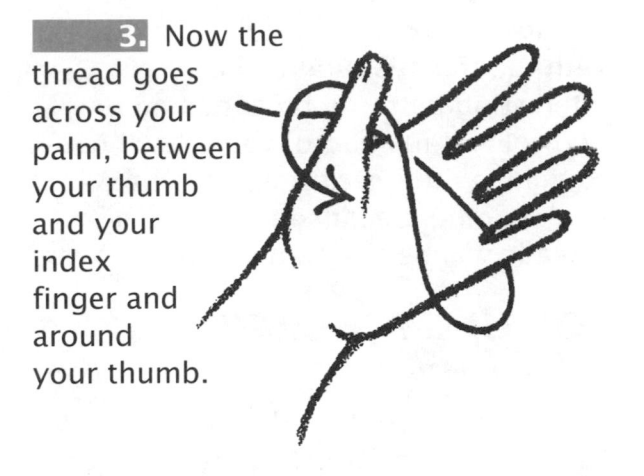

5. When you've butterflied nearly all the thread, pinch the butterfly where the threads criss-cross and lift it off your fingers. Wind the last bit of thread around the centre of the butterfly to keep it together.

MEASURING YOUR THREADS

Pick three colours of thread. Play around with the skeins to see which colours look nice side by side.

Your working threads should be about four times the length of your knotted bracelet, with some left over for the braided ends. Here's an easy way to measure. You make each working thread the length of your arm from fingertip to shoulder. Since you'll have two working threads of each colour, you measure a length of thread from your fingertip to your shoulder and back down to your fingertip again. To do this, hold the end of the thread between your thumb and index finger and measure the first length all the way up to your shoulder. Hold the thread where you've measured an arm's length and let go with your thumb and index finger. Now measure the second length, smoothing the thread down to the free end. Snip the thread. You have a piece of thread twice the length of your arm. Use this first piece of thread to measure the other two colours. You have three long pieces of thread all the same length. If you're making a bracelet for someone who's taller than you — like your dad — measure up and down his arm. The bracelet (and the working threads) will have to be longer.

TYING AN OVERHAND KNOT

1. Put one end of each colour together and smooth out the threads. Now fold the threads in half so there is a loop at the top.

2. Hold the threads in one hand and hold the loop in the other.

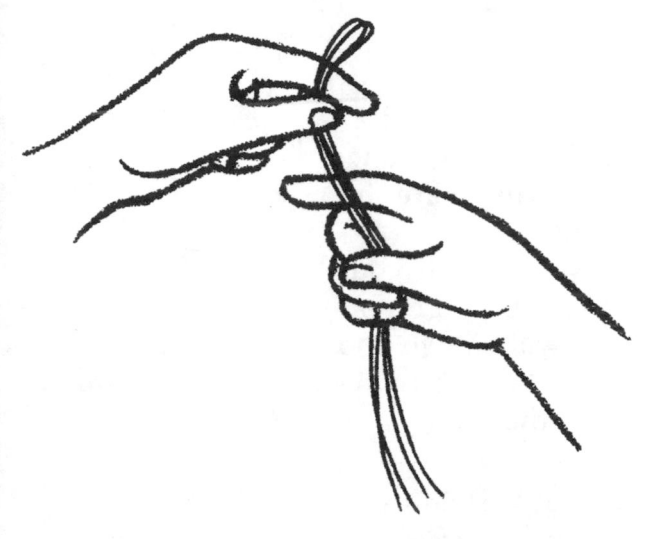

3. Wind the loop all the way around the index finger of the hand that's holding the threads. Pinch the threads together where they cross to make a circle.

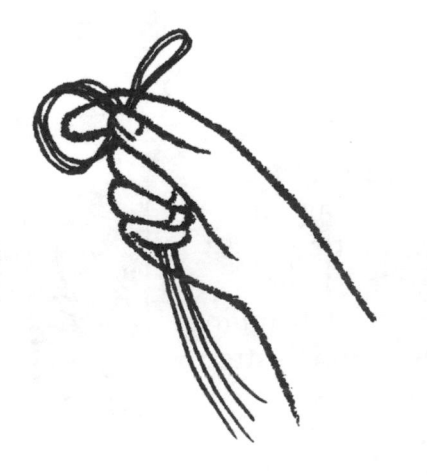

4. Hold the circle of threads together at the cross, and slip it off your index finger. Now put the free loop end of the thread through the circle and start to pull the end tight. You can move the loose knot up the thread to get a smaller loop at the top. The loop is part of the fastening of the bracelet, so you must be able to slip a braided end through it easily.

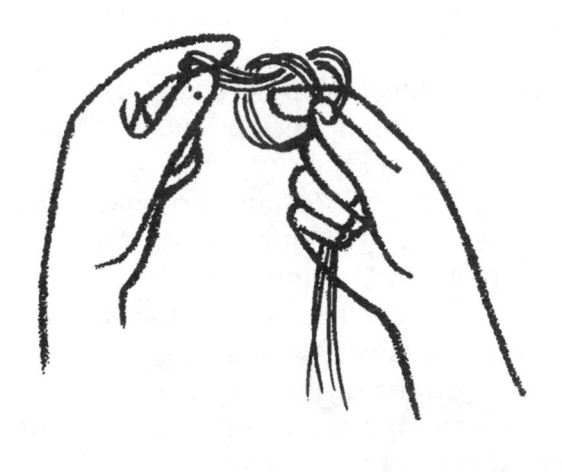

PINNING YOUR BRACELET

The loop helps to keep your bracelet firm while you work on it, so pin it securely to a cushion or your jeans. A pin works better than masking tape. Masking tape can come loose when you start tying the knots and pulling them tight.

Pin through the loop on both sides. If you just slip the pin through the loop and attach it, your bracelet will keep flipping over and you'll mix up the front and the back.

DIAGONAL STRIPE BRACELETS

You've chosen and measured your three colours. Now think about the order of your coloured stripes. If you've chosen red, yellow and blue, do you want your bracelet stripes in that order, or do you want the yellow, then the blue, then the red?

The Diagonal Stripe bracelet uses an alternating colour set-up. You arrange your threads in the order of your coloured stripes. Because you have two threads of each colour, the pattern repeats itself. Starting from the left, your threads will be red, yellow, blue, red, yellow, blue. Make a diagram that shows you the order of your colours. As you knot to make a coloured stripe, the threads will change position, but the yellow will always come after the red and the blue will always come after the yellow.

Untangle your threads right down to the ends, and spread them out like a fan. Now you're ready to start knotting.

NOTE: Remember that the threads take their numbers from their new positions, so the numbers of the threads are always changing.

THE BASIC KNOT

Number your threads in your head from left to right. 1-2-3-4-5-6. Numbers 1 and 4 are the same colour; 2 and 5 are the same; and 3 and 6 are the same.

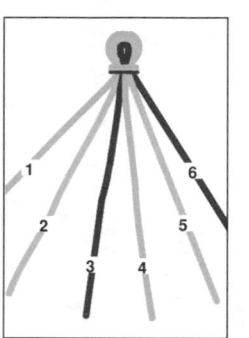

Number 1 is your first knotting thread. You will tie two knots with number 1 on each thread all the way over to number 6 on the right.

1. Hold the knotting thread — thread 1 — in your right hand.

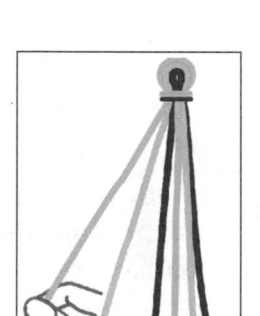

2. Pick up thread number 2 — the first base thread — with the middle, ring and little fingers of your left hand. Leave your left thumb and index finger free.

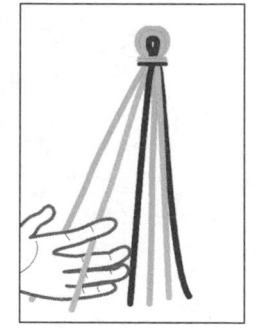

3. Make a sail shape with your knotting thread. The sail shape points to the left. The sail thread crosses over the base thread. Use your left index finger and thumb to keep the threads together where they cross.

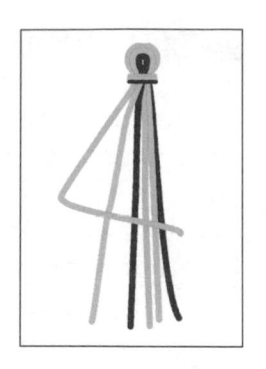

4. Feed the end of the knotting thread up through the sail shape. Hold the base thread tight and straight, and pull the knot up to the top of the base thread.

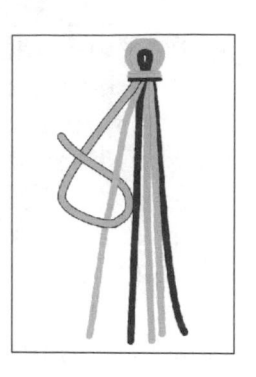

NOTE: Your knot should always be the colour of the knotting thread. If you hold the base thread loosely, and tighten your knot by pulling on both threads, your knot may be the colour of the base thread.

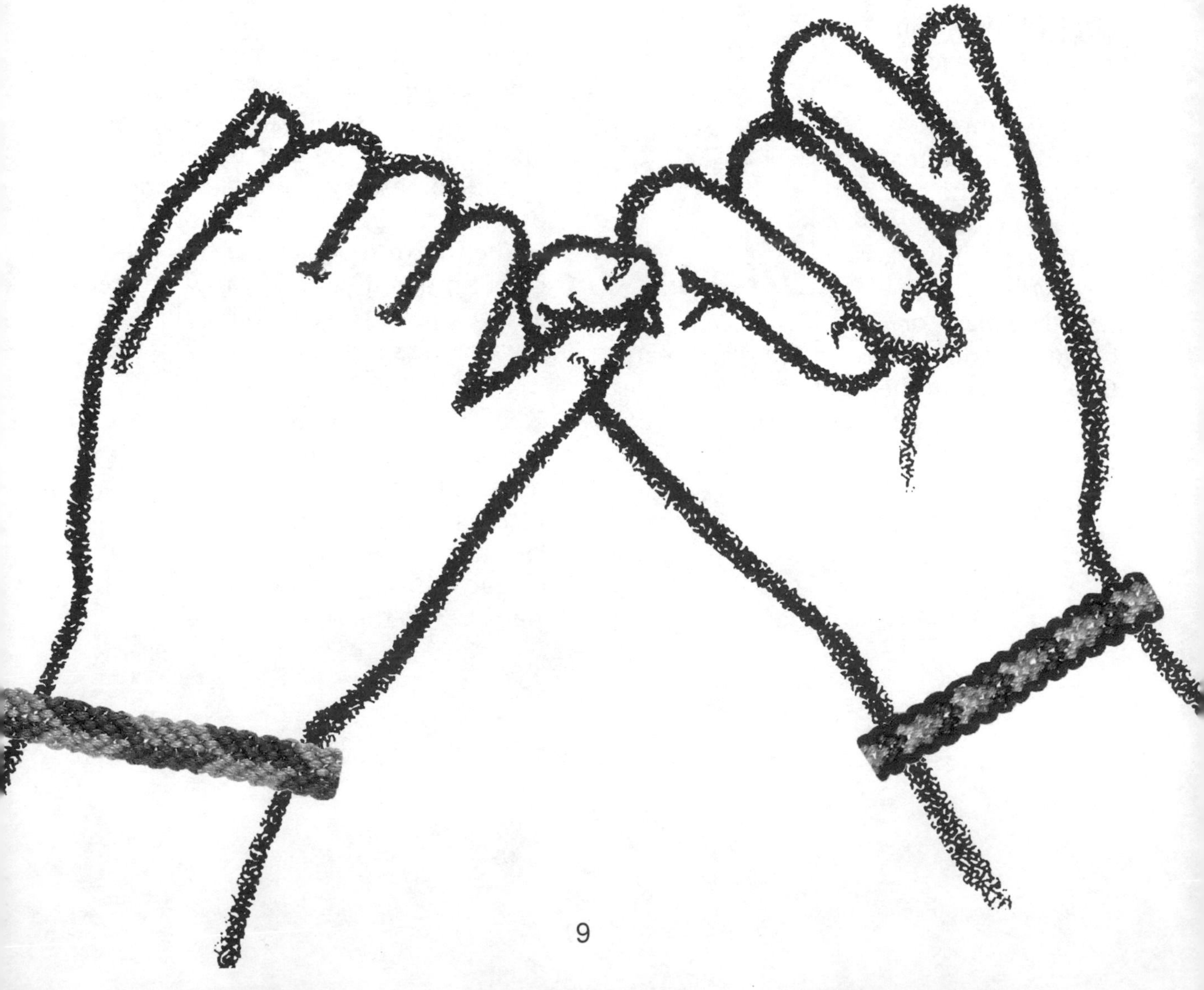

9

5. Tie another knot with thread 1 around thread 2. Make the sail shape, feed the end through, hold the base thread taut and pull the knot right up to the top. Keep the knotting thread in your right hand. You

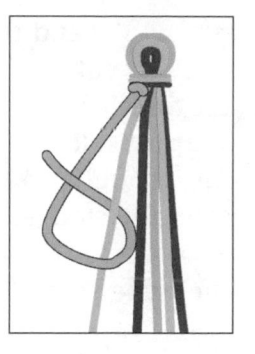

don't need to let go of it until you've knotted all the way over to the right side. Put aside thread 2.

NOTE: Two knots on the same thread make a stitch.

6. With your knotting thread, tie two knots around thread 3, thread 4, thread 5 and thread 6. Remember the order of your colours, and don't let your work flip over.

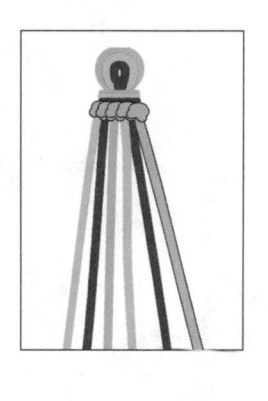

You've made one diagonal stripe. Thread 1 is now thread 6 — it's over on the right side. You have a new knotting thread over on the left side. It's thread 1 now.

7. Pick up your new knotting thread — thread 1 — in your right hand. Remember you can hang on to it until you've finished knotting over on the right. Start your next stripe by making two knots with your knotting thread on each thread from left to right — threads 2, 3, 4, 5 and 6. The thread on the left is always thread 1. The thread on the right is always thread 6.

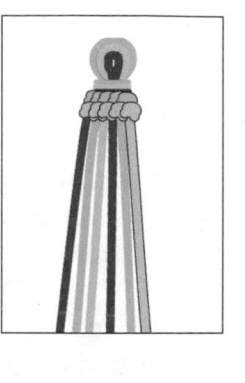

Pull each knot in this second row quite tightly. You want each knot to be tucked up against the stitches in the first row. When you've completed a couple of rows, the knots will keep the threads apart and you'll be able to see which thread comes next in the knotting order.

The fourth row will start to repeat the colour order. If your first row was red and you have three colours, the fourth row will be red too.

8. As you knot your bracelet, always remember to start with the thread on the left, and tie two knots on each thread all the way over to the right.

BRAIDING THE ENDS

Your bracelet is long enough when it goes about two-thirds of the way around your wrist. Since this bracelet has six threads, you can make two braids. Each braid uses three threads.

Spread out your three threads. You have one on the left (L), one in the centre (C) and one on the right (R).

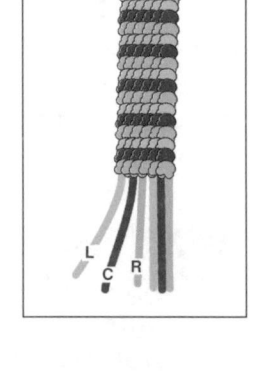

1. L goes over C and becomes the new C.

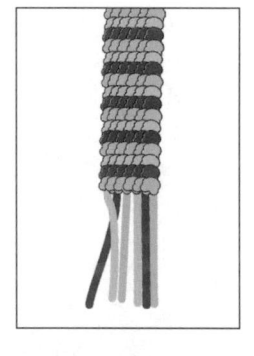

2. Then R goes over C and becomes the new C. Tighten the threads.

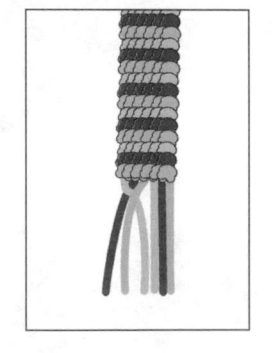

3. Continue L over C then R over C, tightening the threads every now and then to keep the braid even.

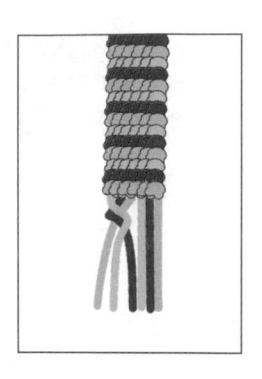

4. The braids must be long enough to slip through the loop and tie in a bow. About 7.5 cm (3 inches) works well. Tie an overhand knot in the end of each braid to finish it off. Trim the ends, then slip one braid through the bracelet loop and tie the braids in a bow. You can undo this kind of fastening quite easily.

If you're planning to wear your bracelet until it falls off — in the shower, when you go swimming and when you do the dishes — you can just knot the unbraided ends together. You need the same trimmed 7.5 cm (3 inch) length. Slip three of the loose ends through the loop and knot them around the other three ends.

DIAGONAL STRIPE VARIATION — ZIGZAG BRACELETS

Turn your bracelet over on purpose to get a zigzag effect.

1. Knot three rows, a complete colour pattern, then unpin the bracelet. Turn it over and pin it to your knee again. Now you're looking at the back. You can see that the back looks different from the 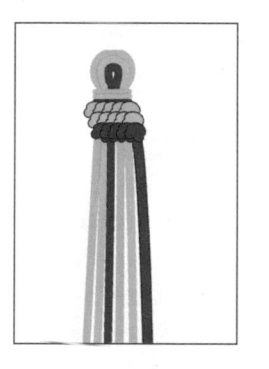 front. The front of your bracelet has rows of single stitches. On the back, you can see the two knots that make each stitch.

2. When you've turned your bracelet over, start knotting from the left as usual. You'll repeat the colour of the row you've just finished knotting. Thread 6 becomes thread 1 when you flip the bracelet over. Knot three rows, one of each colour, then turn the bracelet over again.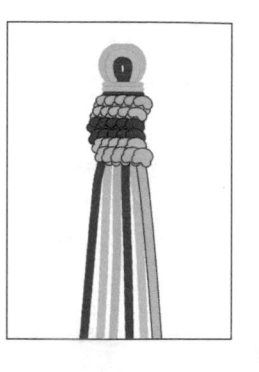

3. Continue knotting and flipping every three rows until your bracelet is long enough. Then finish it off as usual by braiding the ends.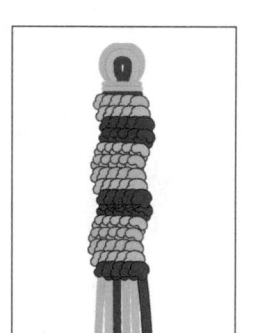

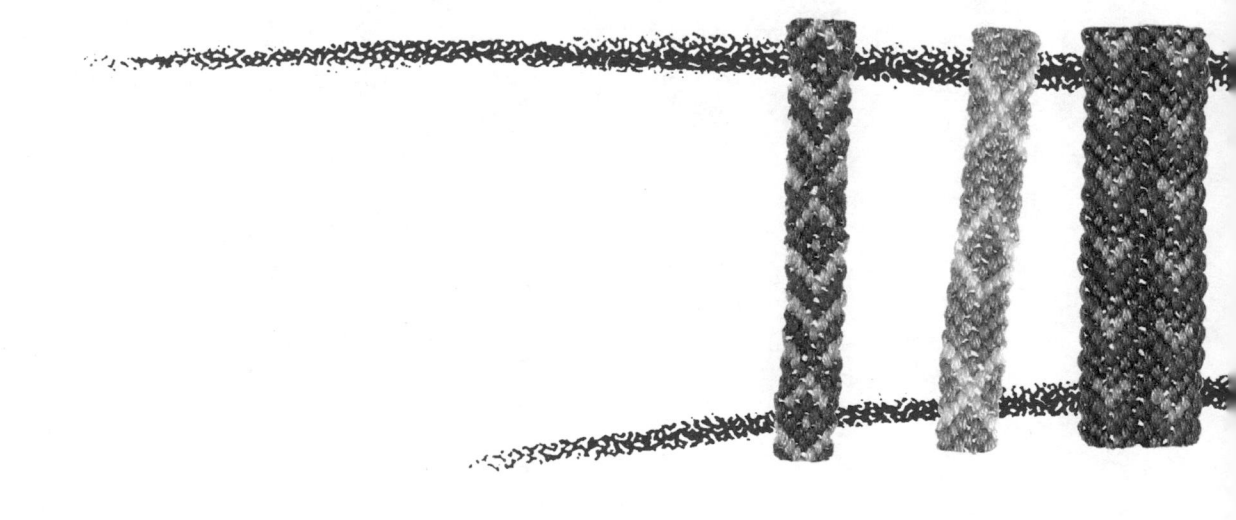

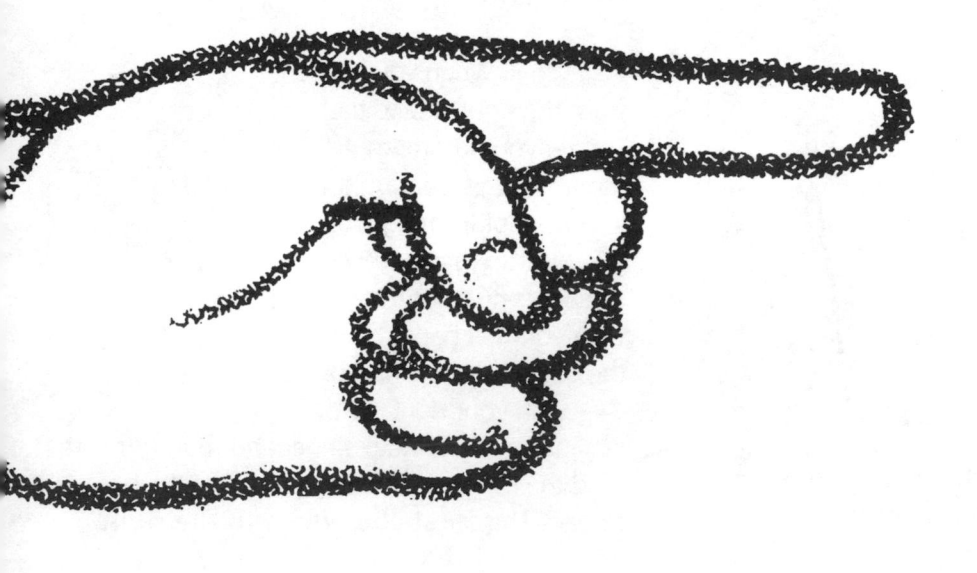

ARROWHEAD BRACELETS

Choose four different colours for this bracelet. Measure your colours as you did for the Diagonal Stripe bracelet (see page 6). Tie the overhand knot to make the loop and pin the bracelet.

This bracelet has an imaginary centre line. You arrange half of the threads on one side of the line and the other half of the threads in a mirror-image pattern on the other.

1. Separate out four threads, one of each colour. Decide which colours you want next to each other in the knotting order and arrange your four threads, untangling them to the ends and fanning them out.

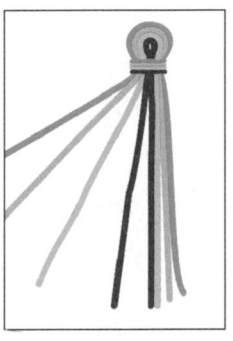

2. Arrange the remaining four threads in a mirror-image pattern. Work in from the outside making sure that the pairs of threads match. Threads 1 and 8 are the same colour, so are 2 and 7, 3 and 6 and 4 and 5.
Threads 4 and 5 are side by side, one on each side of the imaginary centre line.

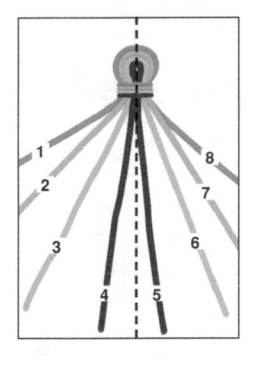

3. Separate out threads 1 to 4, your working threads. They're the threads to the left of the centre line. Put the other threads aside. Now make two knots with thread 1 around threads 2, 3 and 4, and stop. Your knotting thread has travelled halfway across the bracelet to the centre. Put aside those working threads and spread out the threads to the right of the centre line.

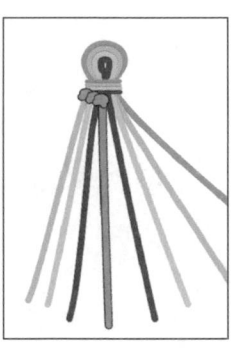

4. When you knot from the right side to the centre, your knotting thread travels from right to left. To knot from right to left, pick up the knotting thread — number 8 — with your left hand. Hold the base thread — number 7 — with your right hand, leaving the right index finger and thumb free to hold the sail shape as it crosses over the base thread. The sail shape points to the right and looks like this.

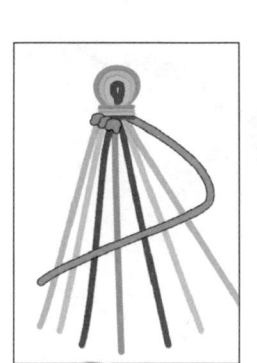

14

5. Feed the end of the knotting thread up through the sail shape and pull the knot tight. Make one more knot with thread 8 around thread 7 to complete one stitch.

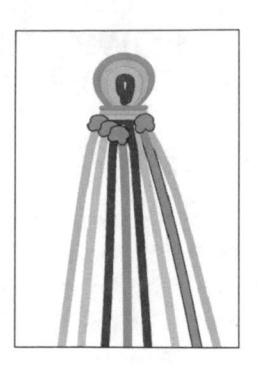

8. To continue, knot the new number 1 thread twice around threads 2, 3 and 4, travelling right.

6. Knot thread 8 twice around threads 6 and 5.

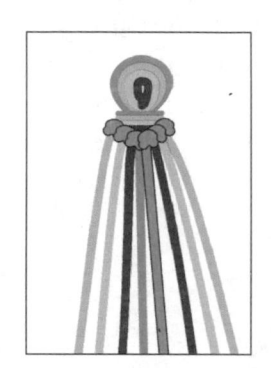

9. Knot the new number 8 thread twice around threads 7, 6 and 5, travelling left.

NOTE: The two knotting threads, one that has travelled from the left and one that has travelled from the right, meet in the centre. They are the same colour, and now that they are in the centre of the bracelet they are threads 4 and 5.

10. Knot the new centre threads, threads 5 and 4, together with two left-travelling knots. Pull tightly to join the two sides of the pattern.

7. Since you are moving right to left, make the knots that join the sides of the pattern left-travelling knots. So knot thread 5 twice around thread 4. Pull these joining knots a little tighter than usual as you are pulling together the two halves of the Arrowhead pattern.

11. When your bracelet is long enough, you can braid or knot the ends as usual. Make four ends into three groups for braiding by giving one group two ends. The centre can have two threads, with one thread on each side. Braid (see page 11) and knot the ends.

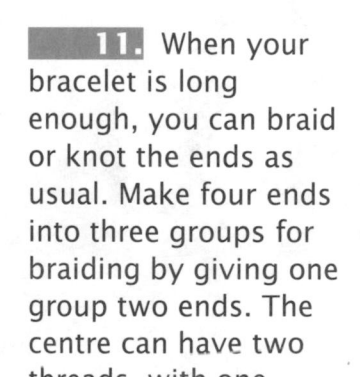

ARROWHEADS WITH A BORDER

The basic Arrowhead pattern organizes the threads and keeps them separate. That's why most bracelets begin with one complete colour pattern of arrowheads — one row knotted in each of the bracelet's colours. The variation begins when the colour pattern repeats itself.

Choose four colours. Measure and set up in the Arrowhead mirror-image colour pattern. Threads 1 and 8 will be the ones used for the border, so remember this when you arrange your colours.

1. Knot one arrowhead in each of the bracelet's four colours.

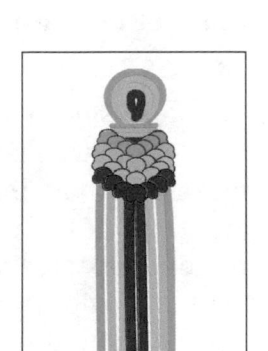

To begin the variation, you must learn a turnaround stitch that puts the knotting thread right back where it started. A turnaround stitch with thread number 1 is made up of one right-travelling knot and one left-travelling knot. The knotting thread moves over towards the right as it makes its first knot around thread 2, then

moves back out to the border because the second knot travels towards the left.

A turnaround stitch with thread 8 around thread 7 is made up of one left-travelling knot that takes the thread in a step, and one right-travelling knot that takes the knotting thread back out to its border.

These stitches are tricky to learn at first because the knotting thread changes hands in the middle of a stitch.

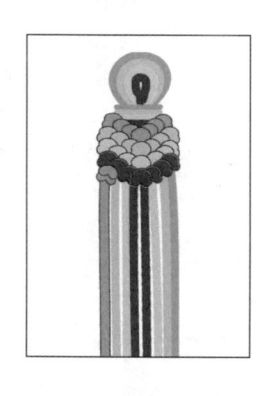 **2.** Now you can begin the border Arrowhead pattern. With thread 1, knot a turnaround stitch (right-travelling, left-travelling) around thread 2.

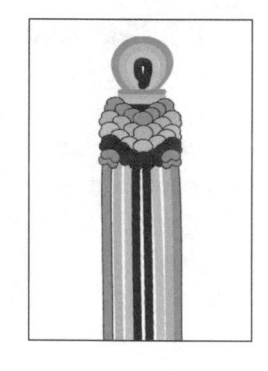 **3.** With thread 8, knot a turnaround stitch (left-travelling, right-travelling) around thread 7. You've knotted the borders for this row. Put the border threads (1 and 8) aside. You'll knot a regular arrowhead with threads 2, 3, 4, 5, 6 and 7.

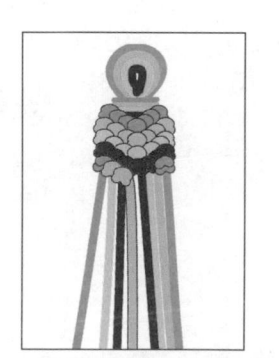 **4.** Separate out your working threads 2, 3, 4. Knot thread 2 twice around threads 3 and 4.

 **5.** Separate out your working threads 7, 6 and 5. Knot thread 7 twice around threads 6 and 5.

 **6.** Knot the knotting threads, now threads 5 and 4, together in the centre. Knot thread 5 twice around thread 4.

Each row begins with two turnaround stitches, one on the left border and one on the right border, using threads 1 and 8 as the knotting threads. Threads 2 and 7 are always the knotting threads for the sides of the Arrowhead pattern. Join the sides of the pattern by knotting thread 5 twice around thread 4 as usual.

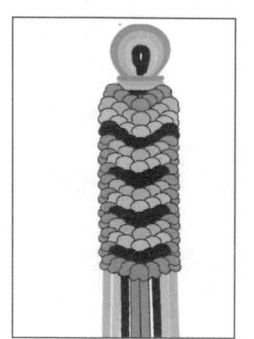 **7.** You can finish your bracelet with four rows — one complete colour pattern — of ordinary arrowheads so that the end of your bracelet matches the beginning.

ARROWHEADS WITH A BORDER — COLOUR VARIATIONS

If you measure two lengths of each of two colours and so have four working threads of each colour instead of two, your pattern of arrowheads and border will be different. Every three rows, there will be an arrowhead the same colour as your border.

Arrange your colours in a mirror-image pattern. Threads 1 and 2 and 7 and 8 will be the same colour. Threads 3, 4, 5 and 6 will also be the same colour.

1. Begin as usual with one full colour pattern (four rows) of ordinary arrowheads.

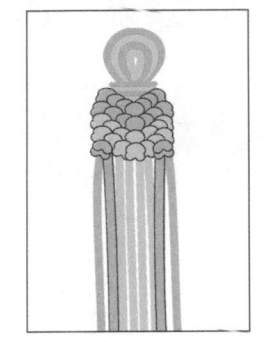

2. Knot the borders as usual: thread 1 knots a right-travelling/left-travelling turnaround stitch around thread 2, and thread 8 knots a left-travelling/right-travelling turnaround stitch around thread 7.

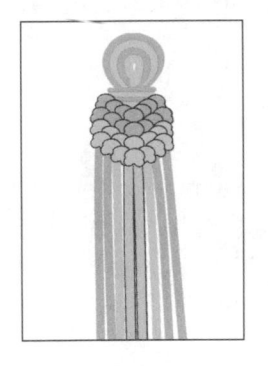

3. Complete the arrowhead using threads 2 and 7 as the knotting threads. The colours, not the knotting pattern, make the bracelet look different.

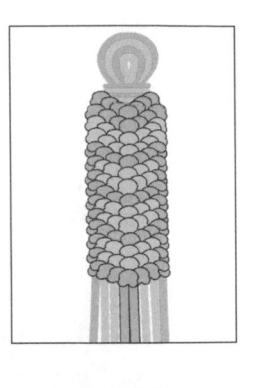

It's always more difficult to work with several threads of the same colour. Always separate out the working threads and put aside those you have finished with. The border threads always stay at the edges of the bracelet. The arrowheads are always knotted with threads 2 and 7, even when they are the same colour as the borders.

PLAYING WITH COLOURS

Each arrowhead in a pattern is usually knotted with two threads of the same colour — they travel from the outside edges of the bracelet, in opposite directions, then are knotted together when they meet in the centre.

To make a Striped Arrowhead bracelet, you knot arrowheads that are half one colour and half another, using a turnaround stitch where the threads meet in the centre to keep each colour on its own side. You can make an Alternating Arrowhead bracelet if you join the arrowheads in the usual way, with a left-travelling stitch. The arrowhead colours will change sides every four rows — after each complete colour pattern. It's the colour set-up that makes the difference.

STRIPED ARROWHEADS

Choose two colours and measure two lengths of each so that you have four working threads of each of two colours. Set up as usual, with loop, knot and pin.

1. Spread out the four threads of one colour on the left side and the four threads of the other colour on the right side.

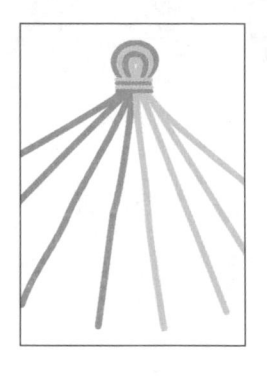

2. Begin to knot your first arrowhead. Knot thread 1 twice around threads 2, 3 and 4. All these threads are the same colour, so keep your knotting thread in your right hand. Don't let it go until you've finished knotting the first half of the arrowhead.

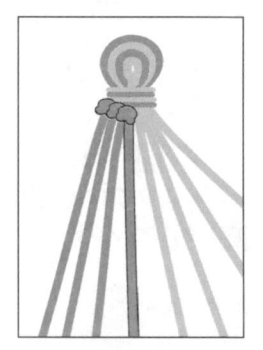

3. Start from the right side and knot thread 8 twice around threads 7, 6 and 5. All these threads are the same colour too, so always keep your knotting thread in your left hand.

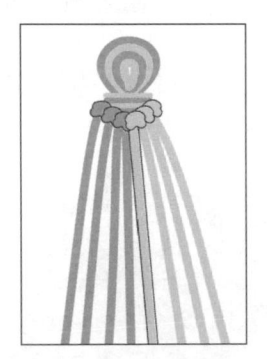

4. The two knotting threads of different colours meet in the centre. Do a left-travelling/right-travelling turnaround stitch with thread 5 around thread 4 so that each colour stays on its own side of the imaginary centre line.

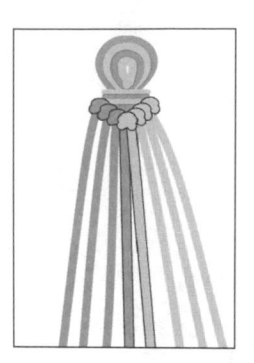

5. Continue to knot each row, following steps 2, 3 and 4.

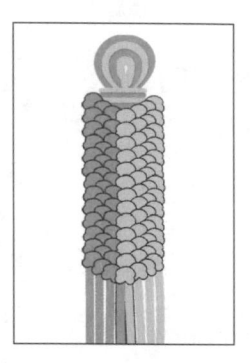

ALTERNATING ARROWHEADS

Measure, set up and arrange your colours as you did for the Striped Arrowhead bracelet. Knot your arrowheads in the usual way, joining them with two left-travelling knots. The two colours of the arrowheads will change sides each complete colour pattern (every four rows). Remember that the colour of the knotting thread is the colour of the stitch, so always knot your centre joining stitch the same way — either left-travelling or right-travelling — to keep the colour pattern even.

ARROWHEAD BRACELETS: DOUBLING UP

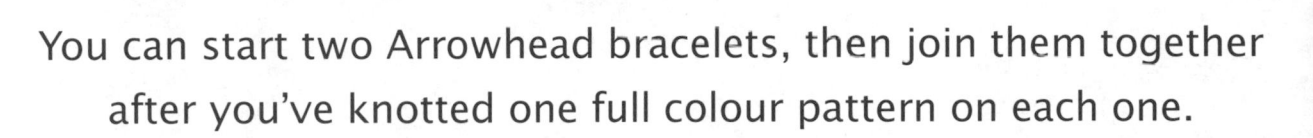

You can start two Arrowhead bracelets, then join them together after you've knotted one full colour pattern on each one.

There are lots of possible colour patterns. If you start with two identical bracelets, then the same colour pattern will zigzag across the bracelet from one edge to the other. Experiment with different colours.

Set up two identical arrowhead bracelets, and pin them side by side on your working surface. Make sure the loops are about the same size. Decide on the arrangement of your colours, and arrange the threads of the bracelet on the left. This is bracelet number 1.

1. Work one complete colour pattern of arrowheads on bracelet number 1. If you're working with four colours, one colour pattern will be four rows.

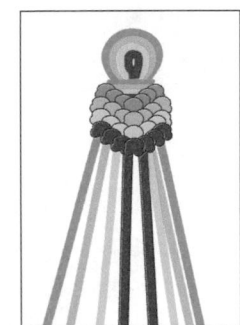

2. Arrange the colours of bracelet number 2 — the one on the right. If you didn't write down the colour order, look at the stripes on bracelet 1. Threads 1 and 8 are the colour of row 1; 2 and 7 the colour of row 2; 3 and 6 the colour of row 3; and 4 and 5 the colour of row 4.

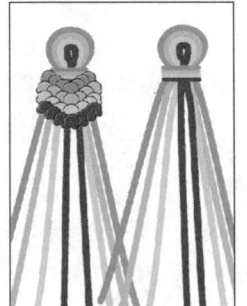

3. Work one complete colour pattern of arrowheads on bracelet number 2. The bracelets should now look exactly the same.

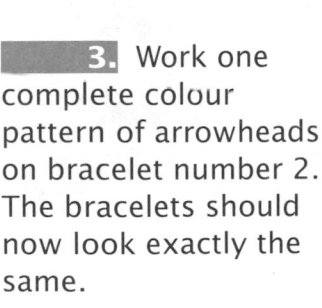

4. To join the two bracelets together, knot thread 8 of bracelet 1 twice around thread 1 of bracelet 2. The joining stitch pulls the two bracelets firmly together. The threads of the joining stitch are the same colour.

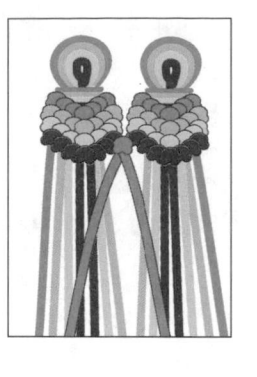

The joining stitch threads are often hard to find as they're in the very middle of the bracelet. Look at the colour of the row you've just finished, then look near the centre for the two threads of the next colour in your colour pattern. It's helpful to flip all the other threads out of the way while you knot these two threads tightly together.

NOTE: If your bracelets are different colours, the stitch that joins the bracelets together must be the same turnaround stitch — either left-travelling/right-travelling or right-travelling/left-travelling — so that the colours for each bracelet stay on their own sides.

As you continue, you will still work each bracelet separately — then you'll join them together with a stitch at the beginning of each row. Since you're working with 16 threads, be sure to separate out the four threads you need for each part of the pattern. Always put the other threads aside.

5. Flip up all the threads of bracelet 2 so they are out of the way.

6. Begin the Arrowhead pattern working with threads 1 to 4 of bracelet 1. Put aside threads 5 to 8.

7. Now put aside threads 1 to 4. Finish the arrowhead pattern using threads 8 to 5. Join the two sides of the arrowhead by knotting thread 5 twice around thread 4. Remember to pull the knots of the joining stitch tightly together.

8. Put aside all the threads of bracelet 1.

9. Begin the Arrowhead pattern on bracelet 2 as you did with bracelet 1, using threads 1-4.

10. Complete the arrowhead with threads 8 to 5, then join the sides of the arrowhead by knotting thread 5 twice around thread 4. The arrowhead pattern now zigzags in a W shape across the whole bracelet.

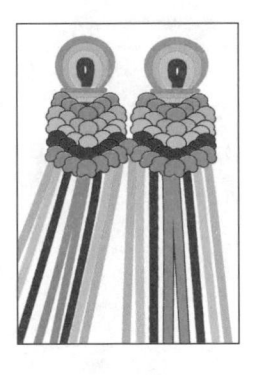

11. Begin the next row with a right-travelling joining stitch. Knot thread 8 of bracelet 1 twice around thread 1 of bracelet 2.

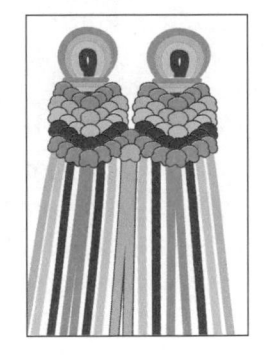

DOUBLE ARROWHEADS WITH A BORDER

Arrange your colours as you did for the Double Arrowhead pattern — two matching colour arrangements in a mirror-image set-up.

Begin by working one complete colour pattern of arrowheads on each set of threads.

Remember to always separate out the small group of threads you are working with and put all the other threads aside. As the patterns become more complicated, this way of separating out the working threads will stop you from getting mixed up.

1. Begin with a joining stitch. Knot thread 8 of bracelet 1 twice around thread 1 of bracelet 2. If the two bracelets are identical, this stitch is a regular stitch. If the bracelets are different, this stitch is a turnaround stitch.

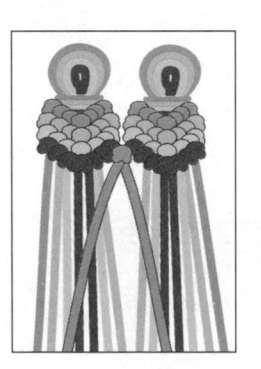

2. Work with bracelet 1. Put aside the threads of bracelet 2.

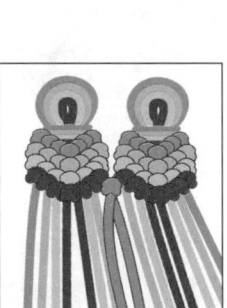
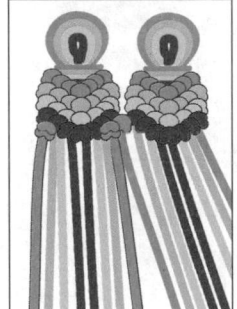

3. Do a right-travelling/left-travelling turnaround border stitch with knotting thread 1 around thread 2. Then do a left-travelling/right-travelling turnaround border stitch with knotting thread 8 around thread 7. Put aside threads 1 and 8.

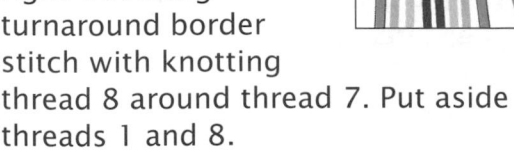

22

4. Do an arrowhead, knotting thread 2 twice around threads 3 and 4, and thread 7 twice around threads 6 and 5. Join the sides of the Arrowhead pattern together by knotting thread 5 twice around thread 4.

5. Put aside the threads of bracelet 1. Now repeat steps 3 and 4 with the threads of bracelet 2.

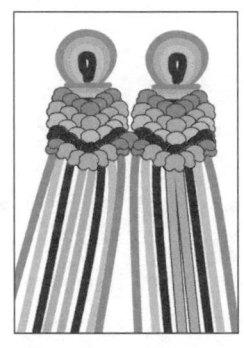

6. Begin your next full row with a joining stitch that joins the two bracelets together. Knot thread 8 of bracelet 1 twice around thread 1 of bracelet 2.

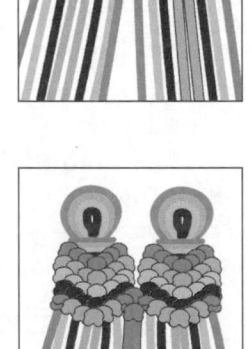

DOUBLE BRACELETS WITH SPLIT COLOUR ARROWHEADS

When your colour arrangement is not mirror image but split colour, R/R/R/R/B/B/B/B/R/R/R/R/B/B/B/B, work one pattern on each bracelet until all the threads of each colour have changed sides.

When you join bracelet 1 to bracelet 2 at the beginning of each row, do a turnaround joining stitch. Make sure that this turnaround joining stitch is always the same left-travelling/right-travelling or right-travelling/left-travelling because the stitch is always the colour of the knotting thread.

ZIGZAG Y BRACELETS

Choose four colours. Measure the threads, make a loop and pin as usual. Arrange the colours in a mirror-image set-up. The colour in the centre, threads 4 and 5, will be the colour of the Zigzag Y pattern.

1. Work one complete colour pattern (4 rows) of arrowheads.

2. Now you'll fill in one half of the arrowhead so that a diagonal can run across the bracelet from right to left. First, separate out threads 1 to 3. Then knot thread 1 twice around threads 2 and 3. Knot the new thread 1 twice around thread 2. Now knot thread 4 twice around threads 3, 2 and 1 to complete the first Y.

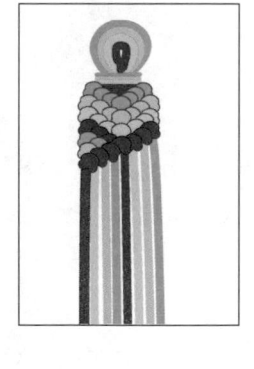

3. Working right to left, knot thread 8 twice around threads 7, 6, 5, 4, 3 and 2. Don't knot it around the knotting thread of the last row, thread 1.

A full diagonal row has seven stitches. This row has six stitches and each row from now on will have one stitch less.

You never knot around the knotting thread from the last row.

As you finish each row, put the knotting thread aside.

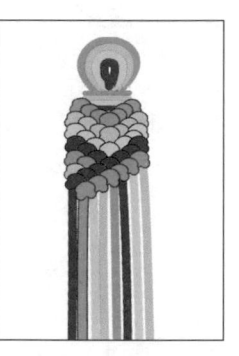

4. Working right to left, knot thread 8 twice around threads 7, 6, 5, 4 and 3. Threads 2 and 1 are the knotting threads from the previous rows. Don't knot around them.

5. Working right to left, knot thread 8 twice around threads 7, 6, 5 and 4. Threads 3, 2 and 1 are the knotting threads from the previous rows. Don't knot around them.

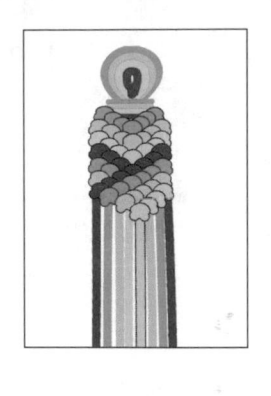

6. Working right to left, knot thread 8 twice around threads 7, 6 and 5. Threads 4, 3, 2 and 1 are the knotting threads from the previous rows. Don't knot around them.

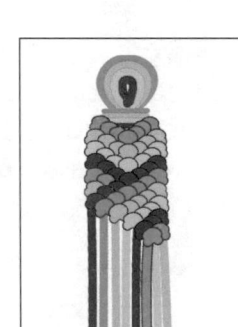

7. Working right to left, knot thread 8 twice around threads 7 and 6.

8. Working right to left, knot thread 8 twice around thread 7.

9. To knot a full diagonal from left to right, knot thread 1 twice around threads 2, 3, 4, 5, 6, 7 and 8. You've completed your second Y. Put the knotting thread aside.

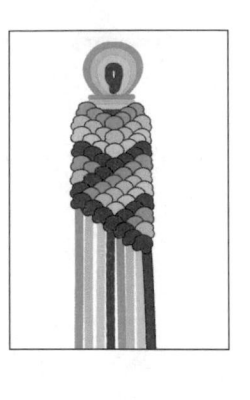

NOTE: Keep an eye on the length of the zigzag Y thread. You're using it more as a knotting thread so it'll get shorter faster than all the other threads.

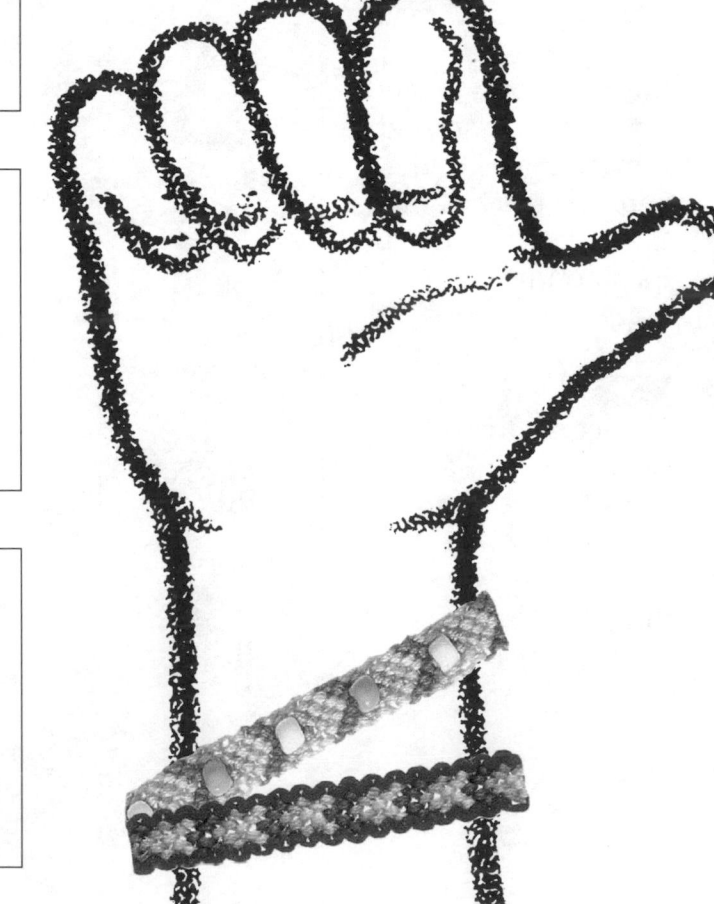

You worked your first set of diagonals from right to left. This set goes the opposite way — you work from left to right.

1. Knot thread 1 twice around threads 2, 3, 4, 5, 6 and 7. Don't knot it around thread 8, the knotting thread of the last row. Put the knotting thread aside.

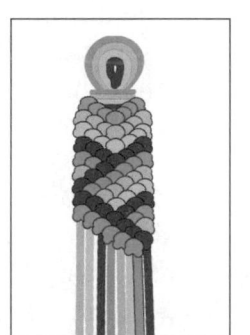

2. Knot thread 1 twice around threads 2, 3, 4, 5 and 6. Don't knot around threads 7 and 8, the knotting threads of the last two rows. Put the knotting thread aside.

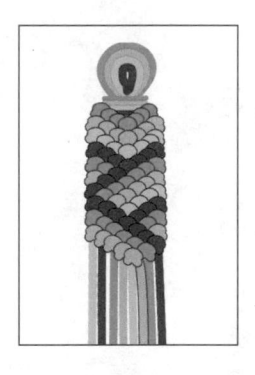

3. Knot thread 1 twice around threads 2, 3, 4 and 5. Don't knot around threads 6, 7 and 8. Put the knotting thread aside.

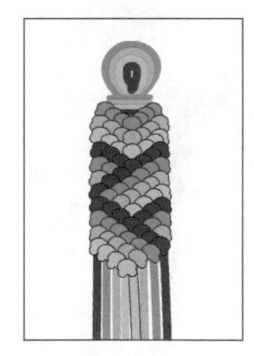

4. Knot thread 1 twice around threads 2, 3 and 4. Don't knot around threads 5, 6, 7 and 8. Put the knotting thread aside.

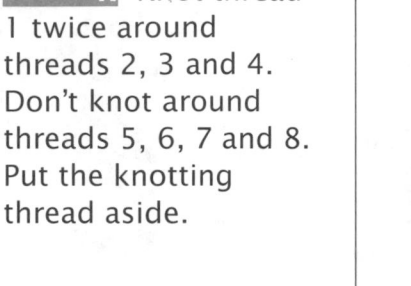

5. Knot thread 1 twice around threads 2 and 3. Don't knot around threads 4, 5, 6, 7 and 8. Put the knotting thread aside.

6. Knot thread 1 twice around thread 2. Don't knot around threads 3, 4, 5, 6, 7 and 8.

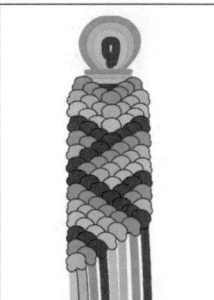

7. You've finished the fill-in. Now knot a full diagonal from right to left. Knot thread 8 twice around threads 7, 6, 5, 4, 3, 2 and 1.

8. Continue filling in. The diagonals will alternate as you work right to left, then left to right. Six or seven Zigzag Y patterns make a good bracelet.

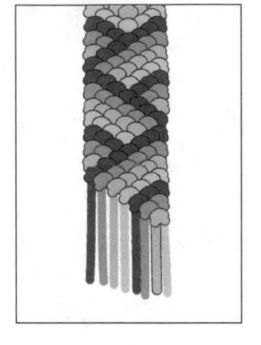

9. When you want to stop, make an X pattern so that you will have two groups of threads to braid as you finish off your bracelet.

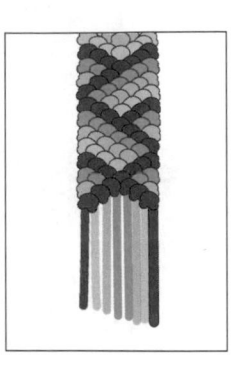

You must begin with a full diagonal row. If your diagonal runs down from right to left, fill in to make the X this way:

a. Knot thread 8 twice around threads 7 and 6.

b. Knot thread 8 twice around thread 7.

c. Knot thread 5 twice around threads 6, 7 and 8.

If your diagonal runs down from left to right:

a. Knot thread 1 twice around threads 2 and 3.

b. Knot thread 1 twice around thread 2.

c. Knot thread 4 twice around threads 3, 2 and 1.

10. Now finish off your bracelet by braiding the ends the usual way.

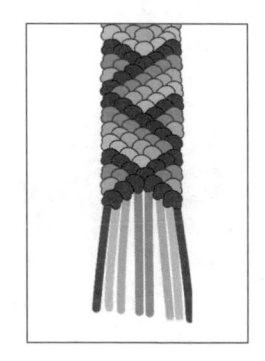

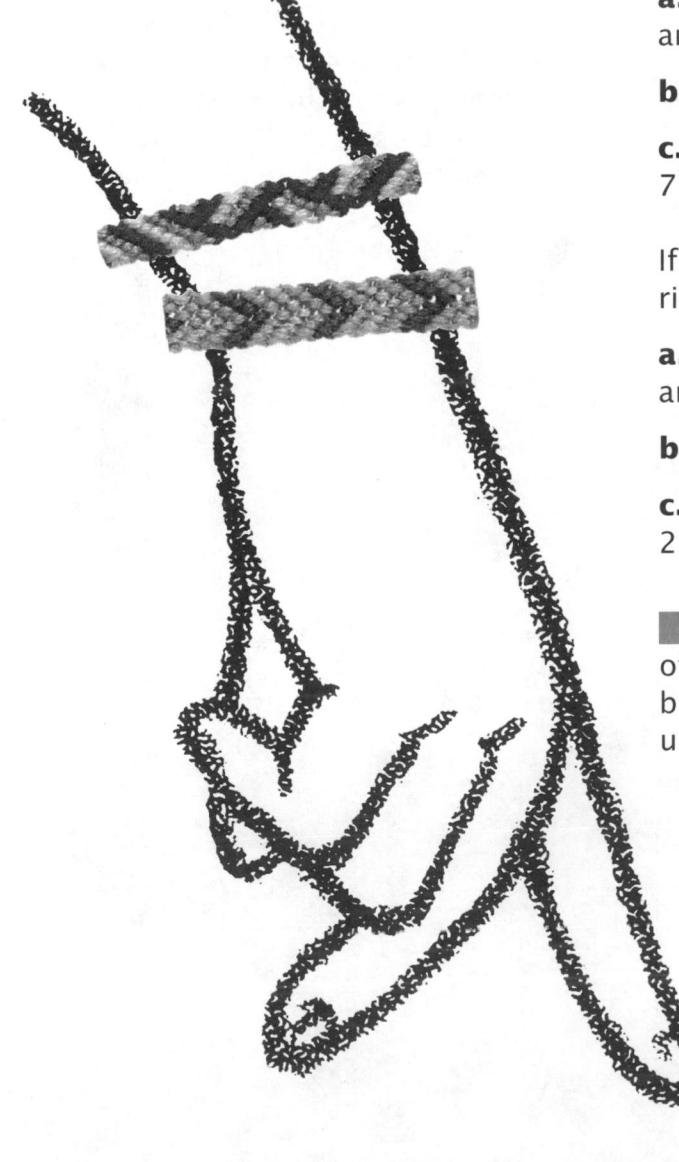

DIAMONDS AND X'S

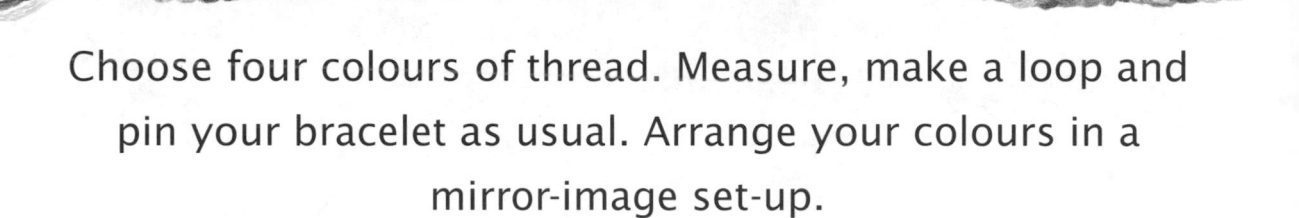

Choose four colours of thread. Measure, make a loop and pin your bracelet as usual. Arrange your colours in a mirror-image set-up.

1. Knot one complete colour pattern (four rows) of arrowheads. The last arrowhead of the colour pattern is the top half of the X. As you begin to knot the X and the diamond, remember to pull all the knots firmly in order to keep the pattern together.

To fill in the left side of the X:

2. Knot thread 1 twice around threads 2 and 3.

3. Knot thread 1 twice around thread 2.

4. Knot thread 4 twice around threads 3, 2 and 1 to complete one side of the X.

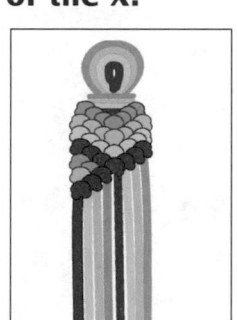

To fill in the right side of the X:

5. Knot thread 8 twice around threads 7 and 6.

6. Knot thread 8 twice around thread 7.

7. To complete the X, knot thread 5 twice around threads 6, 7 and 8.

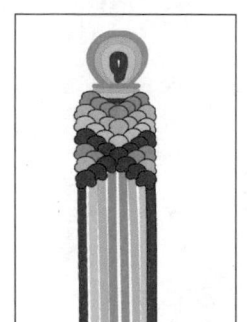

To make the first diamond:

8. Put aside threads 1 and 8. You won't be knotting with them yet. When you make the diamond, you work from the centre out to the edges with each colour. You don't knot around the knotting thread of the last row.

9. Knot thread 4 twice around thread 5.

10. Knot thread 4 twice around threads 3 and 2.

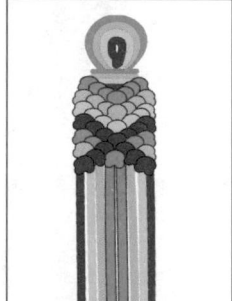

11. Knot thread 5 twice around threads 6 and 7. Put aside the knotting threads.

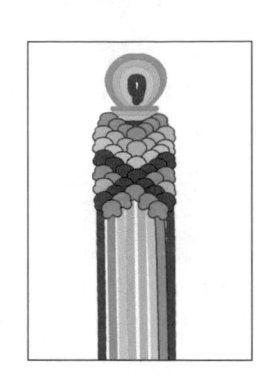

To start a new row:

12. Knot thread 4 twice around thread 5.

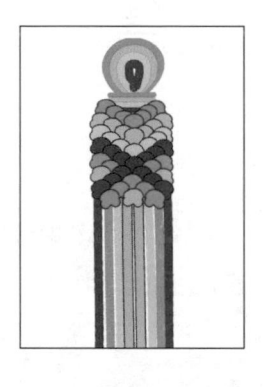

13. Knot thread 4 twice around thread 3.

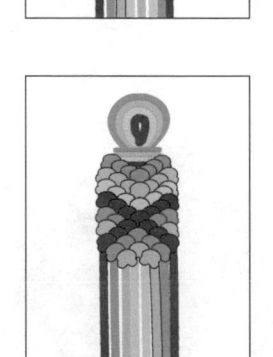

14. Knot thread 5 twice around thread 6. Put aside the knotting threads.

15. Now knot thread 4 twice around thread 5.

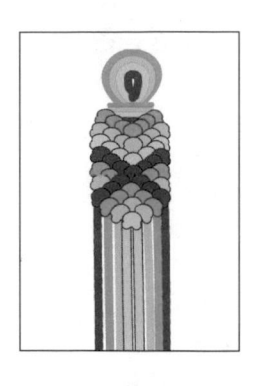

16. To complete the left side of the diamond, knot thread 1 twice around threads 2, 3 and 4.

17. To complete the right side of the diamond, knot thread 8 twice around threads 7, 6 and 5.

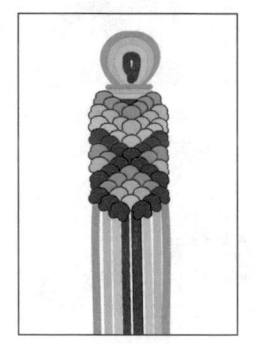

18. Finish off the diamond by knotting thread 5 twice around thread 4.

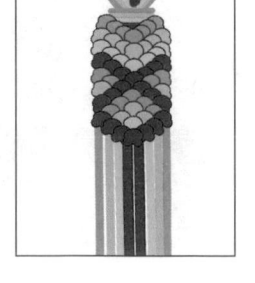

You've made an X and Diamond block. You can repeat the plain Arrowhead pattern, followed by the X and Diamond block, or begin to knot another X and Diamond combination by filling in the left side of the X (step 2).

19. If you like, you can finish off this bracelet with one plain set of arrowheads, before braiding the ends as usual.

X'S AND O'S: A DIAMOND PATTERN COLOUR VARIATION

The X's in this pattern are real X's, but the O's are diamonds.

Choose two colours of thread and measure only one length of one colour, but three lengths of the other. You will have eight knotting ends, two of one colour, six of the other. Make a loop and pin your bracelet to your working surface as usual.

Arrange the threads in a mirror-image set-up. Threads 4 and 5 will be one colour. Threads 1, 2 and 3 and 6, 7 and 8 will be the other colour.

1. Knot one complete colour pattern (four rows) of arrowheads. The last row of arrowheads is the top half of the first X.

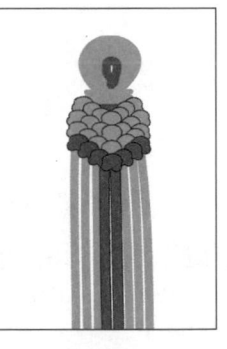

To fill in the left side of the X:

2. Knot thread 1 twice around threads 2 and 3.
3. Knot thread 1 twice around thread 2.
4. Knot thread 4 twice around threads 3, 2 and 1 to complete this part of the X.

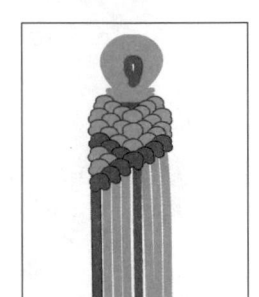

To fill in the right side of the X:

5. Knot thread 8 twice around threads 7 and 6.

6. Knot thread 8 twice around thread 7.

7. Knot thread 5 twice around threads 6, 7 and 8 to complete the right side of the X.

Next, you fill in the X with upside-down arrowheads. You knot as you do for the diamond, but each row goes out to the edge.

8. Knot thread 4 twice around thread 5.

9. Then knot thread 4 twice around threads 3, 2 and 1.

10. Knot thread 5 twice around threads 6, 7 and 8.

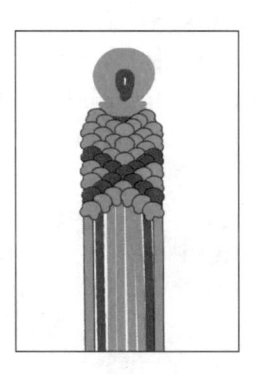

11. You've completed one row of upside-down arrowheads. Knot three more rows just like this. The last row is the colour of the X. It's the first row of the diamond.

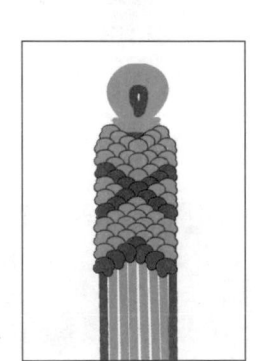

To knot the diamond:

12. Knot thread 4 twice around thread 5.

13. Knot thread 4 twice around threads 3 and 2.

14. Knot thread 5 twice around threads 6 and 7.

15. Knot thread 4 twice around thread 5.

16. Knot thread 4 twice around thread 3, and thread 5 twice around thread 6.

17. Knot thread 4 twice around thread 5.

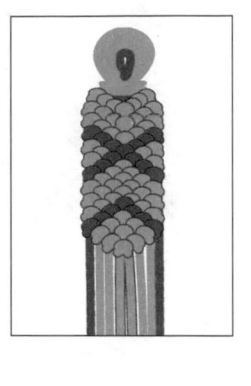

18. To complete the diamond, knot thread 1 twice around threads 2, 3 and 4 and knot thread 8 twice around threads 7, 6 and 5. Then knot thread 5 twice around thread 4.

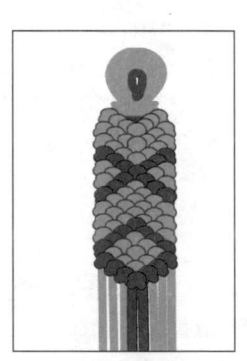

19. Knot one complete colour pattern of regular arrowheads. The last arrowhead is the top half of the next X.

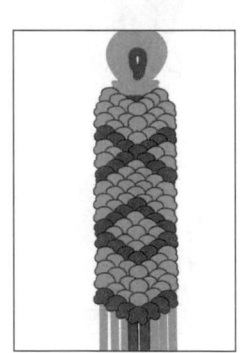

DOUBLE DIAMOND BRACELETS

A bracelet in this beautiful pattern will take longer than one sitting to complete, but it's well worth the effort.

Choose four colours, and measure enough thread for two identical bracelets. One of the colours will outline the diamonds and so will get used up faster than the others. Decide on your outline colour and make these lengths of thread one fingertip-to-elbow length longer than the others. Make the loops, and pin the bracelets side by side.

Begin with bracelet 1. Arrange the colours in a mirror-image set-up. The colour you put on the outsides of your mirror-image set-up (the colour of the first arrowhead you knot) will be the colour that outlines your diamonds in the pattern.

1. Knot one complete colour pattern of arrowheads with the threads of bracelet 1.

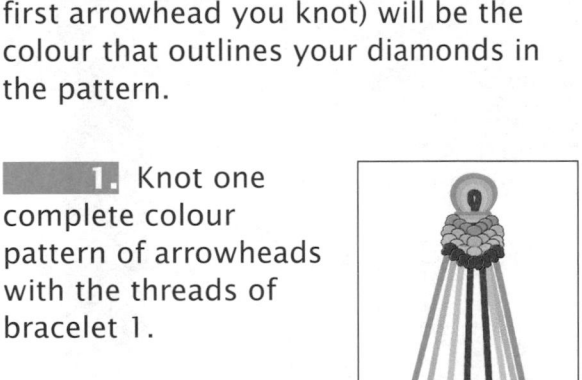

2. Arrange the threads of bracelet 2, then knot one complete colour pattern of arrowheads with the threads of bracelet 2. Bracelet 1 and bracelet 2 should now look exactly the same.

3. Begin the next row by joining the bracelets together. Knot thread 8 of bracelet 1 twice around thread 1 of bracelet 2.

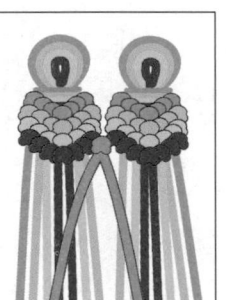

4. Now that you have joined your bracelets, number your threads 1 to 16. Knot one more complete row of arrowheads that zigzags across your bracelet from left to right. This colour will outline the diamond pattern.

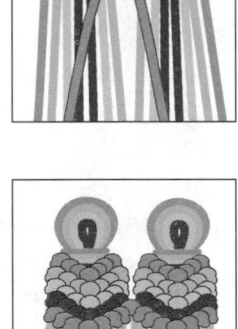

5. Put aside threads 1 to 4 and threads 13 to 16.

To knot a central diamond using threads 5 to 12:

Remember that you don't knot around the knotting threads of the previous row.

6. Knot thread 8 twice around thread 9.

7. Knot thread 8 twice around threads 7 and 6.

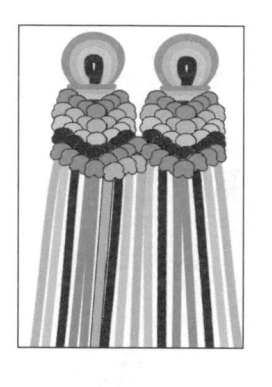

8. Knot thread 9 twice around threads 10 and 11.

9. Knot thread 8 twice around thread 9.

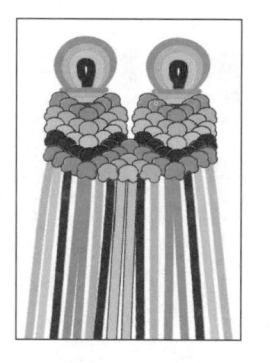

10. Knot thread 8 twice around thread 7.

11. Knot thread 9 twice around thread 10.

12. Knot thread 8 twice around thread 9.

13. Complete the diamond by knotting thread 5 twice around threads 6, 7 and 8, and thread 12 twice around threads 11, 10 and 9.

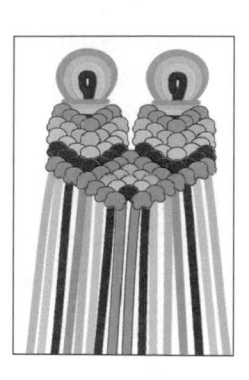

14. Knot thread 9 twice around thread 8.

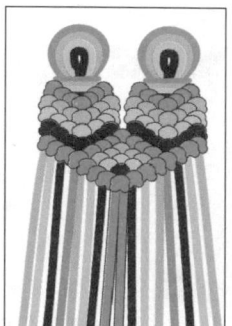

Look at your threads. There are three threads, then a thread that's the colour of the Diamond pattern outline. Three more threads, then two threads that are the colour of the outline. Three more threads, then an outline thread, and three more threads. The outline threads divide the other threads into groups. As you work, always remember to separate out your groups of working threads. Put all the other threads aside. Remember also to pull firmly on the threads as you tie your knots to keep all the pieces of the pattern together.

The next pattern block has two diamonds.

To fill in the outside edges and finish off two X's:

15. Knot thread 1 twice around threads 2 and 3.

16. Knot thread 1 twice around thread 2.

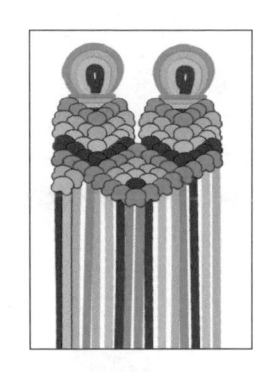

17. Knot thread 4 twice around threads 3, 2 and 1. You've completed the X on the left side of your bracelet.

18. Knot thread 16 twice around threads 15 and 14.

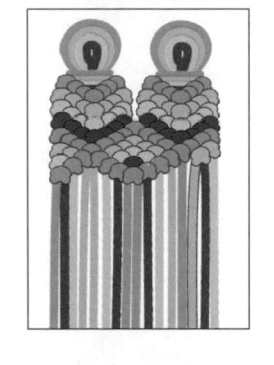

19. Knot thread 16 twice around thread 15.

20. Knot thread 13 twice around threads 14, 15 and 16. You've completed the X on the right side of your bracelet.

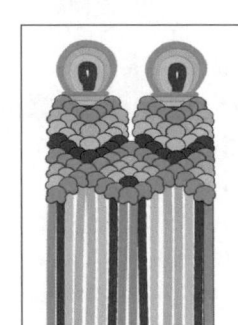

The first diamond is knotted with threads 1 to 8.

21. Knot thread 4 twice around thread 5.

22. Knot thread 4 twice around threads 3 and 2.

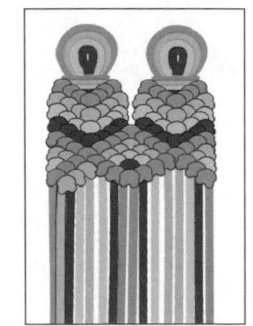

23. Knot thread 5 twice around threads 6 and 7.

24. Knot thread 4 twice around thread 5.

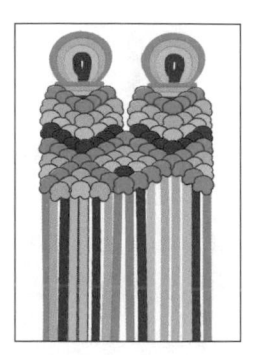

25. Knot thread 4 twice around thread 3.

26. Knot thread 5 twice around thread 6.

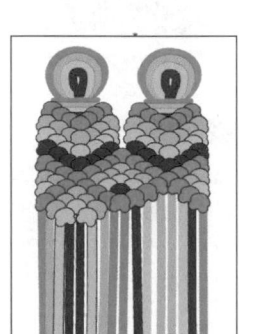

27. Knot thread 4 twice around thread 5.

28. To complete the diamond, knot thread 1 twice around threads 2, 3 and 4, and knot thread 8 twice around threads 7, 6 and 5. Knot thread 5 twice around thread 4.

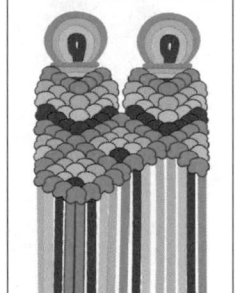

The second diamond is knotted with threads 9 to 16:

29. Knot thread 12 twice around thread 13.

30. Knot thread 12 twice around threads 11 and 10.

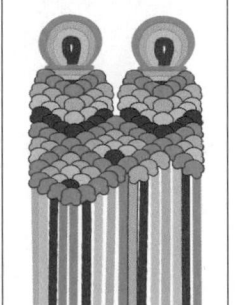

31. Knot thread 13 twice around threads 14 and 15.

32. Knot thread 12 twice around thread 13.

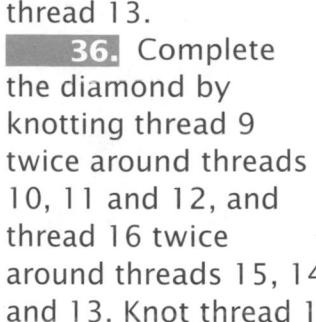

33. Knot thread 12 twice around thread 11.

34. Knot thread 13 twice around thread 14.

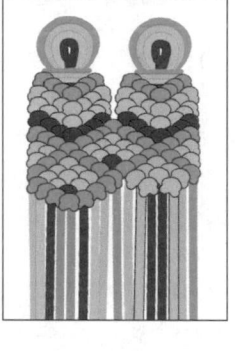

35. Knot thread 12 twice around thread 13.

36. Complete the diamond by knotting thread 9 twice around threads 10, 11 and 12, and thread 16 twice around threads 15, 14 and 13. Knot thread 13 twice around thread 12.

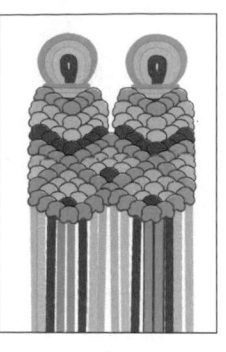

37. Now you're ready to repeat the pattern by knotting another central diamond as you did in the first block. These are the steps of the pattern: Knot a central diamond. Fill in the sides of the pattern to complete two X's, then knot two diamonds.

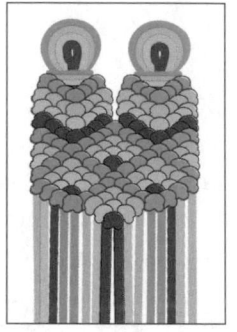

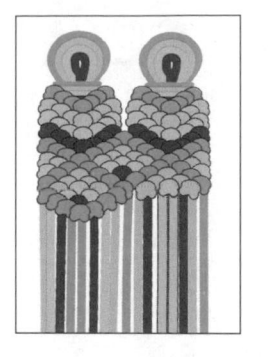

SKINNY BRACELETS

You can make different kinds of Skinny Bracelets, using one, two, three or four colours. If you begin your bracelet with a loop, choose two colours and measure them as usual. Make a loop with a knot and pin the bracelet to your working surface.

If you want to use up some ends of skeins, you can use several different colours. You always work with four knotting threads. It's best if each thread is about an arm's length. Put one end of each of the threads together, and tie an overhand knot. Be sure to leave tag ends of 7 to 10 cm (3 to 4 inches), so that you can tie the bracelet onto your wrist.

You can combine three kinds of patterns in your Skinny Bracelets. The first gives you a spiral twist of stitches. The second gives you a straight row of stitches, and the third gives you a row of flowers. You can mix and match the blocks until your bracelet is long enough.

THE SPIRAL TWIST

You have four working threads. Three will be the core, while the fourth is the knotting thread. When you've knotted a long enough block of stitches, the knotting thread returns to the core, and one of the core threads becomes the knotting thread.

1. Choose the knotting thread. Your first block of stitches will be this colour. It is thread 1. Threads 2, 3 and 4 are the core threads. Think of them as only one thread as you'll knot thread 1 around them all.

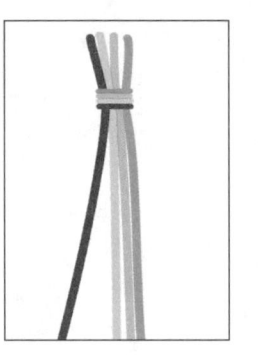

2. Knot thread 1 around threads (2, 3, 4) with a right-travelling knot. Do two more right-travelling knots. You'll see that the knots are starting to spiral over towards the right. Do some more right-travelling knots. The knotting thread travels all the way across the bracelet to the right side.

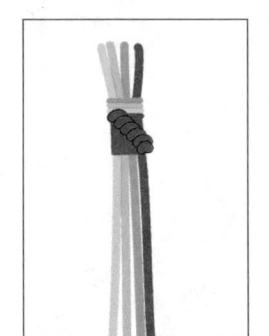

36

3. Flip the knotting thread underneath the core threads and bring it out on the left side of the bracelet again. Now begin knotting again, still using right-travelling knots.

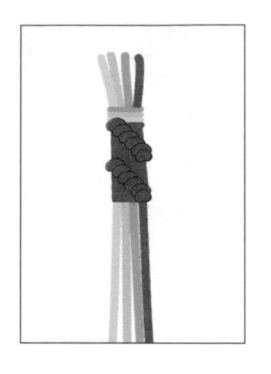

With this pattern, it's easier to count single knots rather than stitches when you are making your blocks of pattern. Twenty or twenty-five single right-travelling knots should give you about three spirals.

4. Return the knotting thread to the core. Choose a different colour this time. You want to use up different threads when you knot. Knot more spirals, or choose a different pattern.

THE STRAIGHT STITCH

If you do a right-travelling knot followed by a left-travelling knot, followed by another right-travelling knot, then one more left-travelling knot, you will end up with a straight row of stitches. You're actually making one turn-around stitch on top of the other. Count 20 or 25 knots to make your next block, and return the knotting thread to the core.

Choose your next knotting thread. If you're making spirals or straight rows, choose a thread that you haven't already used as a knotting thread. You want to use up all the threads evenly. You can choose to knot a block of flowers.

FLOWERS

To make a flower, spread out your threads. They're numbered 1 to 4. Threads 2 and 3 should be the same colour. You will knot the flower with them. Threads 1 and 4 are also the same colour.

1. Knot thread 2 twice around thread 3.

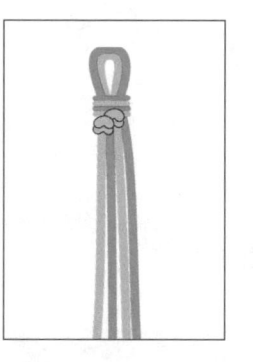

2. Knot thread 2 twice around thread 1.

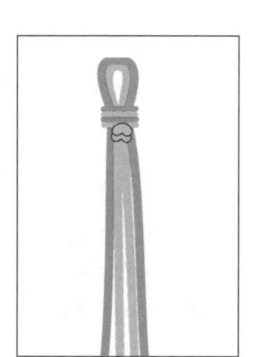

3. Knot thread 3 twice around thread 4.

4. Knot thread 2 twice around thread 3. This is the centre of the flower.

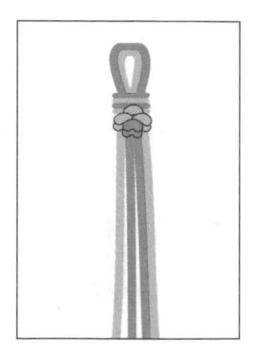

5. Knot thread 1 twice around thread 2.

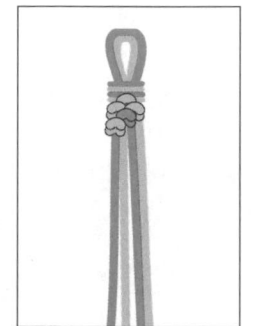

6. Knot thread 4 twice around thread 3.

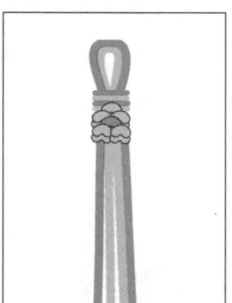

7. Now knot thread 3 twice around thread 2 to complete one flower.

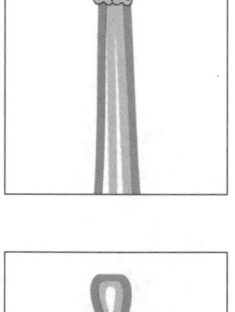

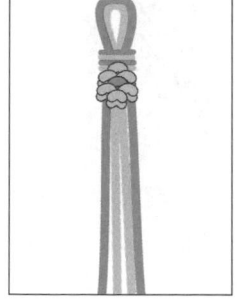

To move right on to the next flower:

8. Knot thread 2 twice around thread 1.

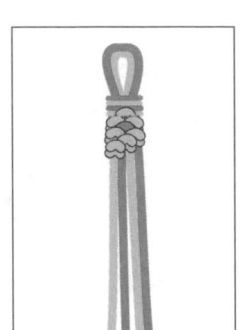

9. Knot thread 3 twice around thread 4.

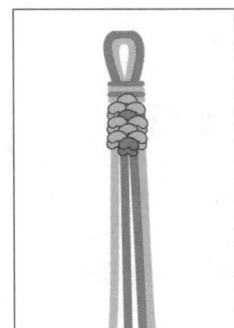

10. Knot thread 2 twice around thread 3.

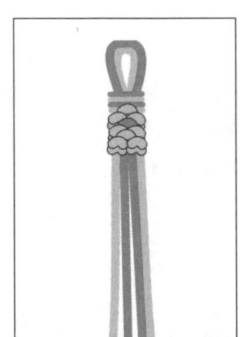

11. Knot thread 1 twice around thread 2.

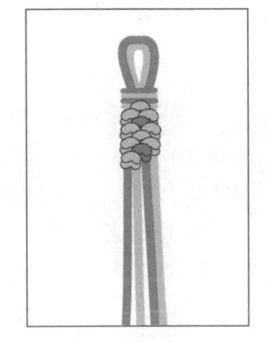

12. Knot thread 4 twice around thread 3.

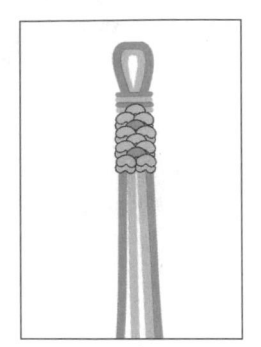

13. Knot thread 3 twice around thread 2 to complete your second flower.

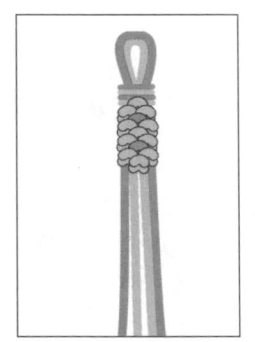

14. Continue on from step 8 to make more flowers. Three or four flowers make a nice-sized block.

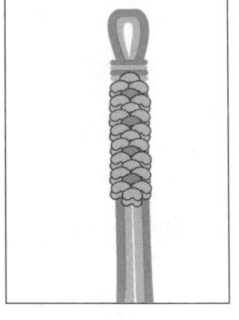

FLOWER HINTS:

Since skinny bracelets flip over easily, be careful that you don't mix up the front and the back of your flower. Your pairs of knotting threads may be of unequal length. When you are knotting together two threads of the same colour, use the longer one as the knotting thread.

MIX AND MATCH BRACELETS

You can mix and match pattern blocks to make different kinds of bracelets. Here's an idea that uses arrowheads, X's and diamonds, and spiral twists and straight rows. You'll find the pattern idea here, but not the instructions for each block.

Choose four colours, measure, make a loop and set up your threads. Use a mirror-image colour arrangement.

1. Knot a complete colour pattern of arrowheads. (See page 14.)

2. Fill in and knot the rest of the X. (See page 28.)

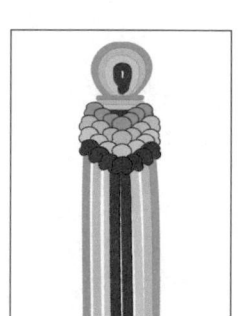

3. Knot a diamond. (See page 28.)

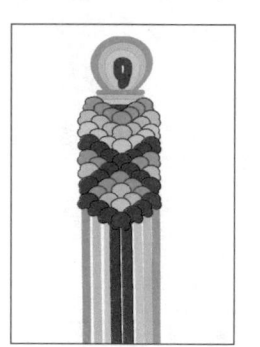

4. With thread 1, knot a spiral twist around thread 2 — do about 20 knots. And with thread 8, knot a spiral twist of 20 knots around thread 7. (See page 36.)

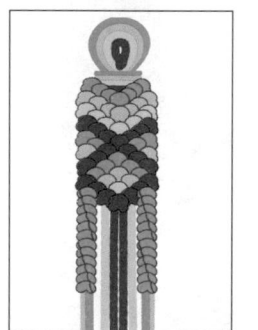

5. Knot a straight row of about 20 knots with thread 3 around thread 4, and with thread 6 around thread 5. (See page 37.) The straight rows and the spiral rows should be the same length.

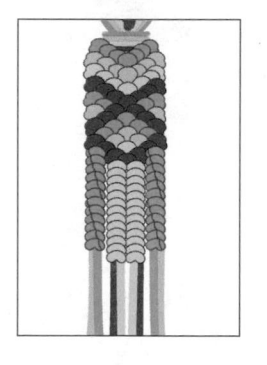

6. Join the pieces of the pattern together by knotting an arrowhead with threads 2 and 7, the same threads you used to knot the spirals.

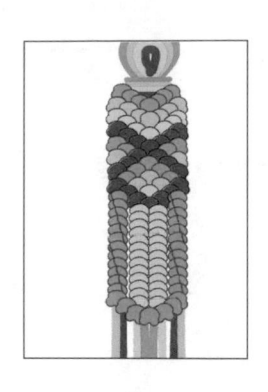

7. Begin the pattern again by knotting another arrowhead, this time with threads 1 and 8. This arrowhead will be the top half of the next X.

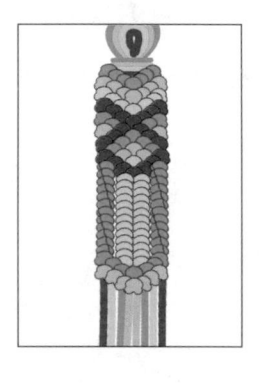

The pattern for the whole bracelet reads like this: Arrowheads, X/Diamond Combination, Spiral Twist/Straight Row Combination, X/Diamond Combination, Spiral Twist/Straight Row Combination, X/Diamond Combination, Arrowheads.

Here's an alternative to the X to bridge arrowheads and spiral twist, straight row, or flower combinations.

Knot your arrowheads as usual.

To fill in the left side:

1. Knot thread 1 twice around threads 2 and 3.
2. Knot thread 1 twice around thread 2.

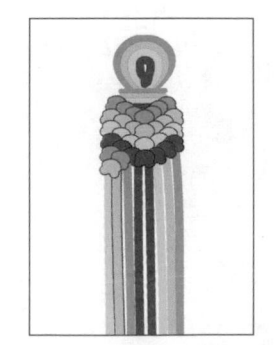

3. Knot thread 3 twice around threads 2 and 1.
4. Knot thread 4 twice around threads 3, 2 and 1.

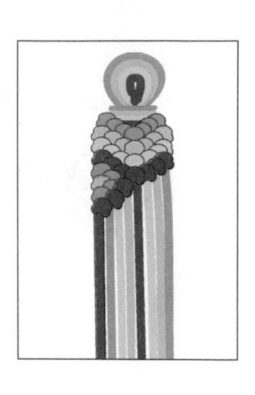

To fill in the right side:

5. Knot thread 8 twice around threads 7 and 6.
6. Knot thread 8 twice around thread 7.

7. Knot thread 6 twice around threads 7 and 8.
8. Knot thread 5 twice around threads 6, 7 and 8.

You can follow this fill-in with a row of straight stitches on each edge, and a row of flowers in between.

If you add an extra row of arrowheads after you've knotted together the straight row/flower combination, you'll use up the threads more evenly and vary the colours of your bracelet.

If your last combination is an X or its alternative fill-in, you can finish off the bracelet with a set of upside-down arrowheads. (See page 31.)

ABOUT BEADS

When you're choosing beads, remember that the holes must be big enough for one or two embroidery threads.

If you happen to have a plastic dental floss threader, it's perfect for feeding the threads through the bead. The threader is a long thin piece of plastic that splits into two to make a bendy loop. You just feed the ends of the thread through the loop. It's like threading a needle, but much easier because the loop is so big. Then feed the plastic "needle" part through the hole in the bead.

Beads work well with the arrowhead pattern. You might decide to put in a bead each time you knot a row of a certain colour. You can add a bead when you make the stitch that joins the two sides of the arrowhead together. There are two ways to do it. Try them both to see which you like best.

Make the first of the two knots of the joining stitch. Slip the bead onto the knotting thread. Then complete the stitch by tying one knot with the other thread. Knot the next row as usual, even though it's a stretch to knot around the bead. When you put the bead into the pattern this way, the bead sits above the knotted surface.

If your bead has a hole that's big enough for two threads, slip them both through the bead before you knot the stitch that joins the sides of the arrowhead pattern. When you put the bead into the pattern this way, the bead sits almost level with the knotted surface of the bracelet.

EARRINGS AND THINGS

Earrings and key chains are a great way to use up left-over bits and pieces, especially if you add beads.

Knot two colour patterns — eight rows — of arrowheads. Slip a bead into the pattern after the first four rows. Trim the ends to make a fringe or add more beads. Or make a loop, then knot four spiral twists and tie a bead onto the end of each one.

Use the Single or Double Diamonds pattern to make earrings or a key chain. Add beads when you knot the single-stitch row of the diamond fill-in — just before you complete the diamond outline.

If you start your work with tag ends and an overhand knot instead of a loop, you'll have fringes at both ends. Make your work long enough to tie around a pony tail or braid.

Once you know some of the basic patterns and blocks, you can combine them in any way you like. Let your imagination go wild — and decorate yourself from head to toe.

READY REFERENCE

THE BASIC KNOT

Your knotting thread can travel in different directions.

The knotting thread is travelling from left to right.

To make a knot you:

1. Hold the knotting thread in your right hand.

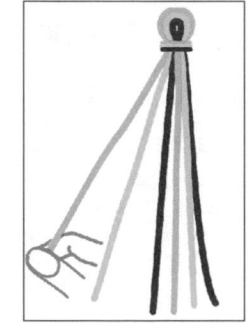

2. Pick up the base thread with the middle, ring and little fingers of your left hand. Leave your left thumb and index finger free.

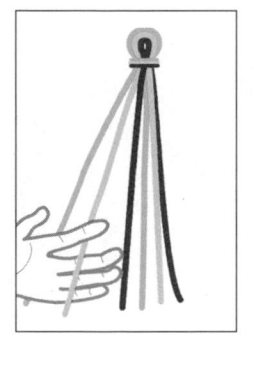

3. Make a sail shape with your knotting thread. The sail shape points to the left and looks like this.

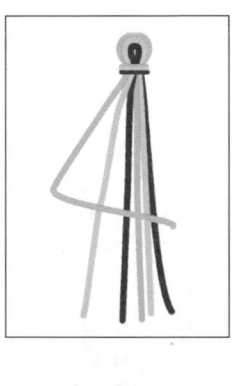

The sail thread crosses over the base thread. Your left index finger and thumb hold the threads together where they cross.

4. Feed the end of the knotting thread up through the sail shape. Hold the base thread tight and straight and pull the knot up to the top of the base thread.

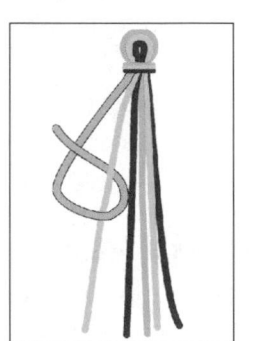

TWO KNOTS ON A BASE THREAD MAKE A STITCH.

This is how you make an ordinary stitch when the knotting thread is travelling towards the right.

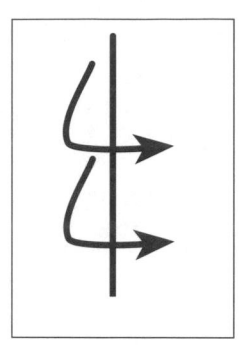

TWO KNOTS ON A BASE THREAD MAKE A STITCH.

This is how you make an ordinary stitch when the knotting thread is travelling towards the left.

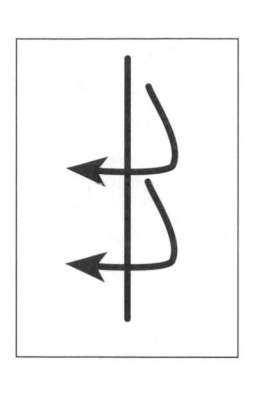

The knotting thread is travelling from right to left.

To make a knot you:

1. Pick up the knotting thread with your left hand.

2. Hold the base thread with your right hand.

3. Make a sail shape with the knotting thread. The sail shape points to the right and looks like this.

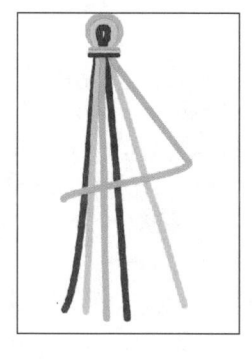

4. Your right index finger and thumb hold the sail thread where it crosses over the base thread. Feed the end of the knotting thread up through the sail shape. Hold the base thread tight and straight and pull the knot up to the top of the base thread.

Sometimes a thread travels one step over as it knots around a thread, then returns to its place as the stitch is completed on the thread. These stitches are called turnaround stitches. There are two kinds of turnaround stitches, right-travelling/left-travelling and left-travelling/right-travelling.

Turnaround stitches can be tricky until you get used to them because the knotting thread changes hands in the middle of the stitch.

A right-travelling/left-travelling turnaround stitch has one knot that travels towards the right followed by one that travels towards the left.

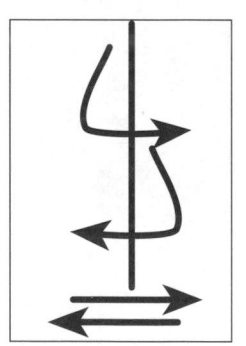

A left-travelling/right-travelling turnaround stitch has one knot that travels towards the left followed by one that travels towards the right.

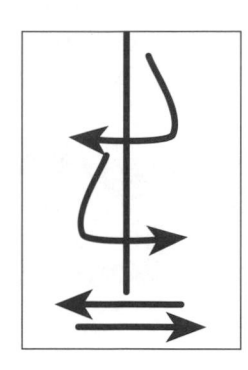

A split-colour set-up using purple and yellow threads looks like this:

An alternating colour set-up with purple, yellow, blue and green threads looks like this:

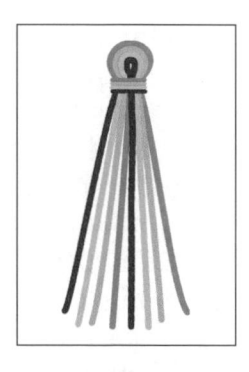

You can knot travelling left towards the centre. The stitches look like this:

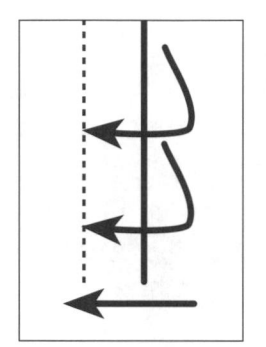

A mirror-image colour set-up with purple, yellow, blue and green threads looks like this:

You can knot travelling right towards the centre. The stitches look like this:

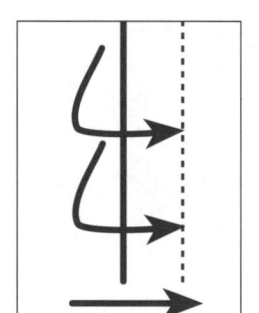

You can knot from the centre travelling left. The stitches look like this:

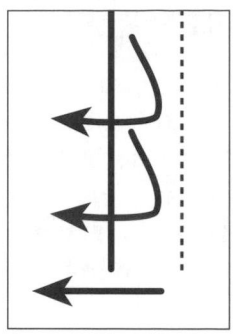

You can knot travelling left towards the centre, then turn around (left-travelling/right travelling turnaround). The stitches look like this:

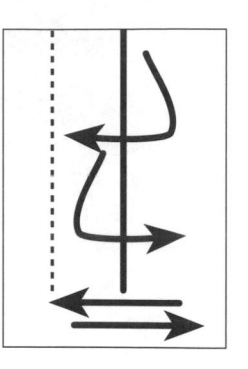

You can knot from the centre travelling right. The stitches look like this:

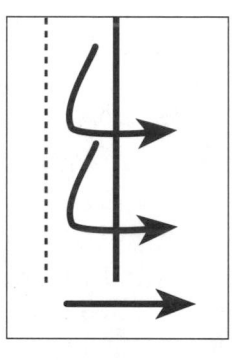

You can knot from the centre travelling left then turn around (left-travelling/right-travelling turnaround). The stitches look like this:

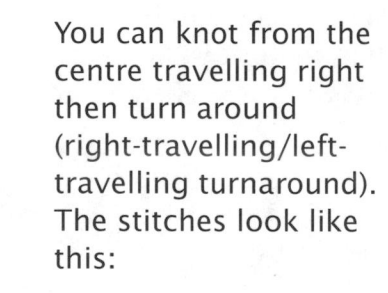

You can knot travelling right towards the centre, then turn around (right-travelling/left-travelling turnaround). The stitches look like this:

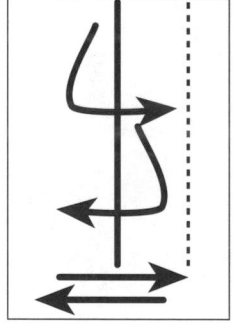

You can knot from the centre travelling right then turn around (right-travelling/left-travelling turnaround). The stitches look like this:

WHAT IF I MAKE A MISTAKE?

How do I undo mistakes?

Stitches are easier to undo from the back because you can see both of the knots that make up each stitch. Use a safety pin to loosen each knot, then undo it with your fingers.

Help! I have a tangle.

To unravel tangled threads, pull out just one thread at a time.

One stitch is the wrong colour. What happened?

Each stitch should be the colour of the knotting thread. If you don't hold the base thread tight, your stitch may be the colour of the base thread instead. Sometimes you can fix it by tugging on the base thread. Sometimes you must undo the stitch, then re-knot it, keeping the base thread taut.

REMEMBER

- Threads are always numbered from left to right. Thread 1 is always on the left side of the bracelet. Thread 8 (or 16) is always on the right. The threads take their names from their positions, so the names of the threads are always changing.

- Don't let your work flip over accidentally. There is always a back and a front. The front is made up of single stitches. On the back you can see the two knots that make up each stitch.

- Always separate out the working threads for each part of the pattern. Put the other threads aside.